30단어×40일

구성과 특징

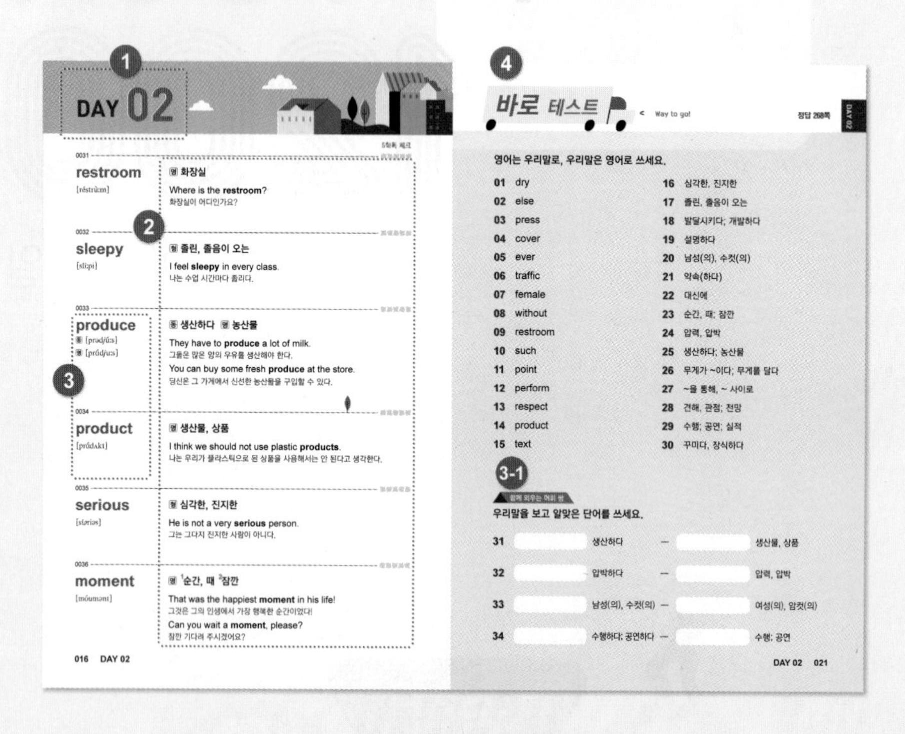
1

DAY 02

5회독 체크

0031 **restroom** [réstrùːm]
2
명 화장실
Where is the **restroom**?
화장실이 어디인가요?

0032 **sleepy** [slíːpi]
형 졸린, 졸음이 오는
I feel **sleepy** in every class.
나는 수업 시간마다 졸리다.

3
0033 **produce** 동 [prədjúːs] 명 [prádjuːs]
동 생산하다 명 농산물
They have to **produce** a lot of milk.
그들은 많은 양의 우유를 생산해야 한다.
You can buy some fresh **produce** at the store.
당신은 그 가게에서 신선한 농산물을 구입할 수 있다.

0034 **product** [prádʌkt]
명 생산물, 상품
I think we should not use plastic **products**.
나는 우리가 플라스틱으로 된 상품을 사용해서는 안 된다고 생각한다.

0035 **serious** [síəriəs]
형 심각한, 진지한
He is not a very **serious** person.
그는 그다지 진지한 사람이 아니다.

0036 **moment** [móumənt]
명 1순간, 때 2잠깐
That was the happiest **moment** in his life!
그것은 그의 인생에서 가장 행복한 순간이었다!
Can you wait a **moment**, please?
잠깐 기다려 주시겠어요?

016 DAY 02

4

바로 테스트 < Way to go! 정답 268쪽 DAY 02

영어는 우리말로, 우리말은 영어로 쓰세요.

01	dry	16	심각한, 진지한
02	else	17	졸린, 졸음이 오는
03	press	18	발달시키다; 개발하다
04	cover	19	설명하다
05	ever	20	남성(의), 수컷(의)
06	traffic	21	약속(하다)
07	female	22	대신에
08	without	23	순간, 때; 잠깐
09	restroom	24	압력, 압박
10	such	25	생산하다; 농산물
11	point	26	무게가 ~이다; 무게를 달다
12	perform	27	~을 통해, ~ 사이로
13	respect	28	견해, 관점; 전망
14	product	29	수행; 공연; 실적
15	text	30	꾸미다, 장식하다

3-1

함께 외우는 어휘 쌍

우리말을 보고 알맞은 단어를 쓰세요.

31 ______ 생산하다 — ______ 생산물, 상품

32 ______ 압박하다 — ______ 압력, 압박

33 ______ 남성(의), 수컷(의) — ______ 여성(의), 암컷(의)

34 ______ 수행하다; 공연하다 — ______ 수행; 공연

DAY 02 021

1

매일 30단어씩 40일 학습으로 중학 필수 어휘 1,200개 제시

2

중학교 2학년 교과서에서 뽑은 예문 수록

3 암기력 UP!

함께 학습하면 좋은 반의어나 파생어 등을 모아서 제시

3-1 문제로도 확인

4

매일 학습한 어휘를 바로바로 확인하는 바로 테스트

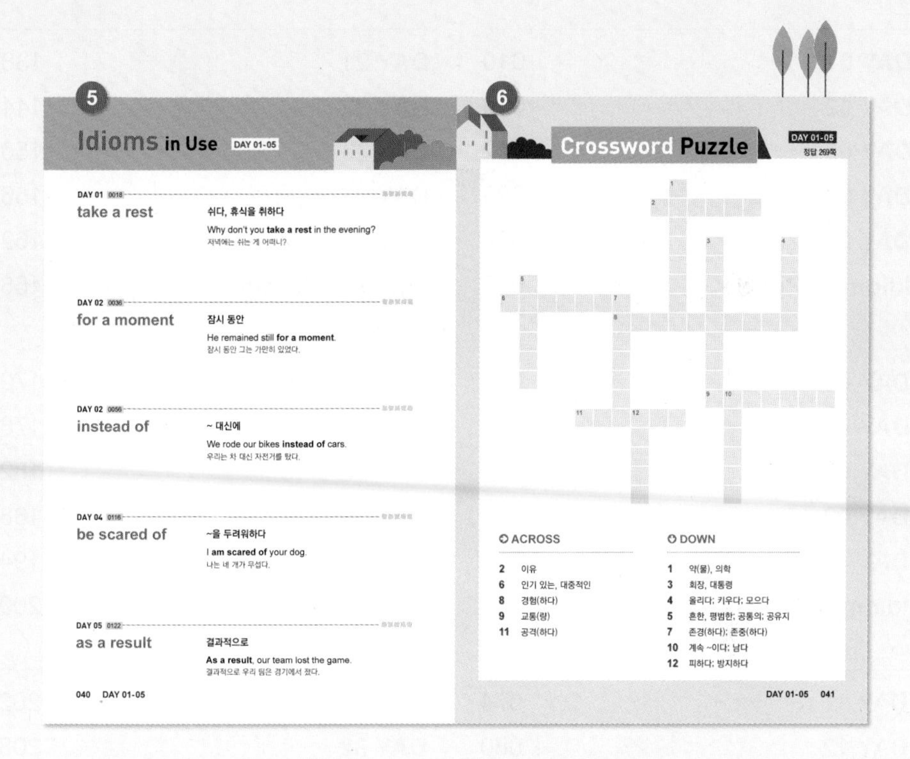

5

Idioms in Use DAY 01-05

DAY 01 0018
take a rest 쉬다, 휴식을 취하다
Why don't you **take a rest** in the evening?
저녁에는 쉬는 게 어떠니?

DAY 02 0036
for a moment 잠시 동안
He remained still **for a moment**.
잠시 동안 그는 가만히 있었다.

DAY 02 0056
instead of ~ 대신에
We rode our bikes **instead of** cars.
우리는 차 대신 자전거를 탔다.

DAY 04 0116
be scared of ~을 두려워하다
I **am scared of** your dog.
나는 네 개가 무섭다.

DAY 05 0122
as a result 결과적으로
As a result, our team lost the game.
결과적으로 우리 팀은 경기에서 졌다.

040 DAY 01-05

6

Crossword Puzzle

DAY 01-05
정답 269쪽

ACROSS

2 이유
6 인기 있는, 대중적인
8 경험(하다)
9 교통(량)
11 공격(하다)

DOWN

1 약(물), 의학
3 회장, 대통령
4 올리다; 키우다; 모으다
5 흔한, 평범한; 공통의; 공유지
7 존경(하다); 존중(하다)
10 계속 ~이다; 남다
12 피하다; 방지하다

DAY 01-05 041

5

5일마다 교과서 최빈출 숙어 제시

★ 학습한 단어를 숙어로 복습

표제어의 '발음'과 '발음+뜻'을 들을 수 있는 QR코드 제공

6

5일마다 퍼즐을 풀며 재미있게 반복 학습

휴대용 암기카드 무료 제공

바로 VOCA 1200
· 중학 실력 ·
Anytime, Anywhere
휴대용 암기카드

목차

학습 계획표

★ DAY별로 각각 첫 번째로 공부한 날과 두 번째로 공부한 날의 날짜를 쓰세요.

DAY	1회독	2회독	DAY	1회독	2회독
01	월 일	월 일	21	월 일	월 일
02	월 일	월 일	22	월 일	월 일
03	월 일	월 일	23	월 일	월 일
04	월 일	월 일	24	월 일	월 일
05	월 일	월 일	25	월 일	월 일
06	월 일	월 일	26	월 일	월 일
07	월 일	월 일	27	월 일	월 일
08	월 일	월 일	28	월 일	월 일
09	월 일	월 일	29	월 일	월 일
10	월 일	월 일	30	월 일	월 일
11	월 일	월 일	31	월 일	월 일
12	월 일	월 일	32	월 일	월 일
13	월 일	월 일	33	월 일	월 일
14	월 일	월 일	34	월 일	월 일
15	월 일	월 일	35	월 일	월 일
16	월 일	월 일	36	월 일	월 일
17	월 일	월 일	37	월 일	월 일
18	월 일	월 일	38	월 일	월 일
19	월 일	월 일	39	월 일	월 일
20	월 일	월 일	40	월 일	월 일

발음 기호를 알면 단어 읽기가 된다

글자	대표 음가	예시 단어
A a	[a], [ei] 등	art, name
B b	[b]	boy, ball
C c	[k], [s]	cap, pencil
D d	[d]	doll, duck
E e	[e], [i] 등	end, easy
F f	[f]	foot, wife
G g	[g], [ʒ], [dʒ]	pig, giraffe
H h	[h]	home, hello
I i	[i], [ai] 등	sit, ice
J j	[dʒ]	jam, join
K k	[k]	king, milk
L l	[l]	long, cold
M m	[m]	monkey, some

글자	대표 음가	예시 단어
N n	[n]	new, can
O o	[ʌ], [ou] 등	other, old
P p	[p]	park, drop
Q q	[k]	queen, quiet
R r	[r]	room, read
S s	[s], [z]	sun, busy
T t	[t]	tree, want
U u	[ʌ], [u], [ju], [ə] 등	uncle, use
V v	[v]	very, love
W w	[w]	win, woman
X x	[ks], [gz]	fox, exam
Y y	[i], [ai]	baby, try
Z z	[z]	zoo, zebra

1 모음

모음	a ㅏ	e ㅔ	i ㅣ	o ㅗ	u ㅜ
	æ ㅐ	ɛ ㅔ	ɔ ㅗ/ㅓ 중간	ʌ ㅓ (강하게)	ə ㅓ (짧게)
	* 모음 뒤에 [:]를 붙이면 길게 읽습니다.				
이중 모음	ja ㅑ	je ㅖ	jə ㅕ	jo ㅛ	ju ㅠ
	wa ㅘ	we ㅞ	wi ㅟ	wɔ ㅝ/ㅘ	wə ㅝ
	* 모음 앞에 [j]가 붙으면 "야, 여, 요", [w]가 붙으면 "와, 웨, 워"와 같이 발음합니다.				

2 자음

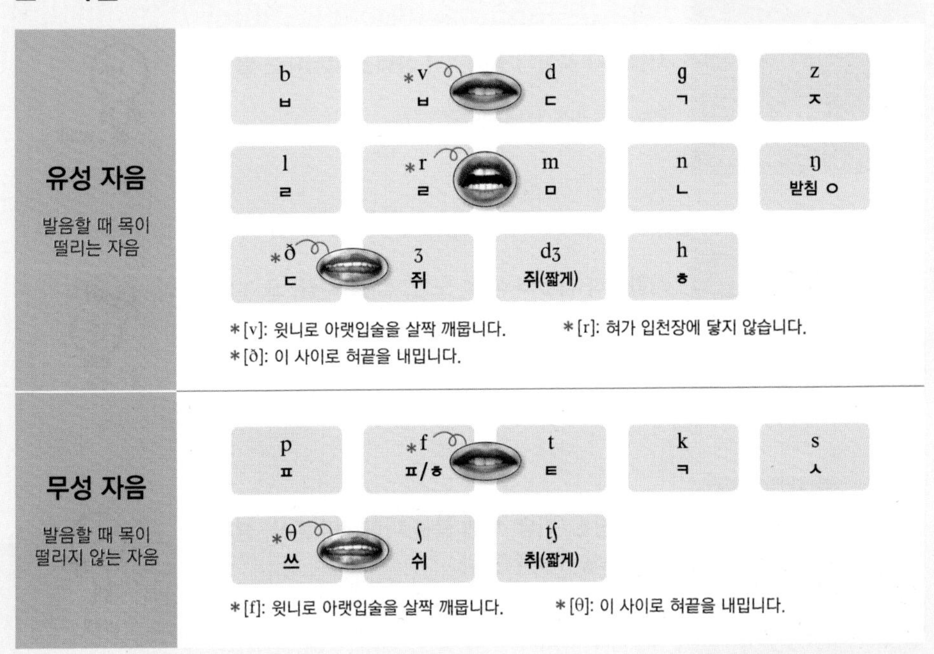

유성 자음 발음할 때 목이 떨리는 자음	b ㅂ	*v ㅂ	d ㄷ	g ㄱ	z ㅈ
	l ㄹ	*r ㄹ	m ㅁ	n ㄴ	ŋ 받침 ㅇ
	*ð ㄷ	ʒ 쥐	dʒ 쥐(짧게)	h ㅎ	
	* [v]: 윗니로 아랫입술을 살짝 깨뭅니다. * [r]: 혀가 입천장에 닿지 않습니다. * [ð]: 이 사이로 혀끝을 내밉니다.				
무성 자음 발음할 때 목이 떨리지 않는 자음	p ㅍ	*f ㅍ/ㅎ	t ㅌ	k ㅋ	s ㅅ
	*θ 쓰	ʃ 쉬	tʃ 취(짧게)		
	* [f]: 윗니로 아랫입술을 살짝 깨뭅니다. * [θ]: 이 사이로 혀끝을 내밉니다.				

8품사를 알면 문장이 쉬워진다

Wow! The **flowers** **in** the painting **look** **very** **real**, **and** **I** like them.
감탄사 명사 전치사 동사 부사 형용사 접속사 대명사

명사
noun

사람, 사물, 개념 등의 이름을 나타내는 말

e.g. dog, friend, car, peace

대명사
pronoun

명사를 대신하는 말

e.g. I, you, she, this, they

동사
verb

사람이나 사물의 동작이나 상태를 나타내는 말

e.g. eat, run, walk, study

형용사
adjective

사람이나 사물의 상태, 모양, 성질, 수량, 크기 등을 나타내는 말

e.g. good, happy, pretty, many, big

부사
adverb

시간, 장소, 이유, 방법 등을 나타내며 동사, 형용사, 부사 등을 꾸며주는 말

e.g. now, there, very, slowly

전치사
preposition

명사나 대명사 앞에 쓰여 시간, 장소, 방향, 수단 등을 나타내는 말

e.g. in, on, from, by

on

접속사
conjunction

단어와 단어, 구와 구, 문장과 문장을 이어주는 말

e.g. and, but, or, because

감탄사
interjection

놀람이나 느낌을 나타내며 저절로 나오는 말

e.g. oh, wow, oops, hey

이 책에 쓰인 약호

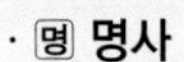

· 명 명사 · 대 대명사 · 동 동사 · 형 형용사 · 부 부사
· 전 전치사 · 접 접속사 · 수 숫자 · 단 명사의 단수형

DAY 01

5회독 체크

0001

secret

[síːkrit]

명 비밀 형 비밀의

I will never tell your **secrets** again.
나는 네 비밀을 다시는 절대 말하지 않을 것이다.

0002

hurt

[həːrt]

hurt - hurt

동 아프다, 아프게[다치게] 하다 형 다친

I **hurt** my leg while I was playing basketball.
나는 농구를 하던 중에 다리를 다쳤다.

0003

last

[læst]

형 1 지난 2 마지막의 동 지속되다

He moved to our school **last** week.
그는 지난주에 우리 학교로 전학 왔다.

They missed the **last** bus.
그들은 막차를 놓쳤다.

0004

especially

[ispéʃəli / espéʃəli]

부 특히, 특별히

I **especially** like this picture.
나는 특히 이 사진이 마음에 든다.

0005

local

[lóukəl]

형 지역의, 현지의 명 주민, 현지인

The **local** time is 10 a.m.
현지 시각은 오전 10시이다.

The **locals** are very kind.
주민들은 아주 친절하다.

0006

medicine

[médəsin]

명 1 약(물) 2 의학

Did you take some **medicine**?
너는 약을 먹었니?

He has studied **medicine** for three years.
그는 의학을 3년 동안 공부해 왔다.

0007

probably

[prάbəbli]

부 아마

She will **probably** be all right.
그녀는 아마 괜찮을 것이다.

0008

bite

[bait]
bit - bitten

동 물다 명 [1]물기 [2]한 입 (베어 문 조각)

I was **bitten** by my dog.
나는 내 개에게 물렸다.

Do you want a **bite**?
한 입 먹고 싶니?

0009

tear

동 [tεər]
tore - torn
명 [tiər]

동 찢어지다, 찢다 명 눈물

My dog **tore** my homework into pieces.
내 개가 내 숙제를 갈기갈기 찢어 놓았다.

His story brought **tears** to my eyes.
그의 이야기는 나를 눈물짓게 했다.

0010

appear

[əpíər]

동 [1]나타나다, 생기다 [2]~인 것 같다

In the future, many new jobs will **appear**.
미래에는 많은 새로운 직업이 생겨날 것이다.

He **appears** to be a kind man.
그는 친절한 사람인 것 같다.

0011

disappear

[dìsəpíər]

동 사라지다

All of the bikes at school **disappeared**.
학교의 모든 자전거가 사라졌다.

0012

appearance

[əpíərəns]

명 [1]모습, 외모 [2]나타남, 등장

We shouldn't make fun of other people's **appearance**.
우리는 다른 사람들의 외모를 놀려서는 안 된다.

Their **appearance** made me happy.
그들의 등장이 나를 기쁘게 했다.

0013

movement

[mú:vmənt]

명 [1]움직임, 이동 [2]운동

They watched the dancer's body **movements**.
그들은 무용수의 몸의 움직임을 보았다.

He took part in the **movement** to help children.
그는 아이들을 돕는 운동에 참여했다.

0014

detective

[ditéktiv]

명 수사관, 탐정

Shirley was the best **detective** in the whole town.
Shirley는 온 마을에서 가장 뛰어난 탐정이었다.

0015

avoid

[əvɔ́id]

동 [1]피하다 [2]방지하다

The town's people **avoided** the man.
마을 사람들은 그 남자를 피했다.

We want to **avoid** other problems.
우리는 다른 문제들을 방지하고 싶다.

0016

arrive

[əráiv]

동 도착하다

We'll **arrive** there before 5.
우리는 5시 전에 그곳에 도착할 것이다.

0017

leave

[li:v]

left - left

동 [1]떠나다, 출발하다 [2]~을 두고 오다

The train **leaves** at 5:10.
기차는 5시 10분에 출발한다.

He **left** his book on the table.
그는 탁자 위에 책을 두고 왔다.

0018

rest

[rest]

명 [1]휴식 [2]나머지 동 휴식을 취하다

I think he needs some **rest**.
나는 그에게 약간의 휴식이 필요하다고 생각한다.

This evening, I will watch the **rest** of the movie.
오늘 저녁에 나는 그 영화의 나머지 부분을 볼 것이다.

0019

foreign

[fɔ́:rən / fɑ́rən]

형 외국의

It is important to learn a **foreign** language.
외국어를 배우는 것은 중요하다.

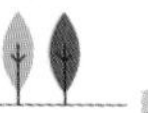

0020

foreigner

[fɔ́:rənər / fɑ́rənər]

명 외국인

I helped a **foreigner** find his way.
나는 외국인이 길 찾는 것을 도와주었다.

0021

wild

[waild]

형 야생의

It is dangerous to be alone in a **wild** area.
야생 지역에 혼자 있는 것은 위험하다.

0022

mean

[mi:n]

meant - meant

동 1 뜻하다 2 의도하다 형 못된

What does that **mean**?
그것이 무슨 뜻인가요?

I'm sure Jenny did not **mean** to hurt Bella.
나는 Jenny가 Bella를 해치려는 의도는 아니었다고 확신한다.

0023

experience

[ikspíəriəns]

명 경험 동 경험하다

Traveling in Spain was a wonderful **experience**.
스페인에서의 여행은 멋진 경험이었다.

0024

character

[kǽriktər]

명 1 등장인물 2 성격

There are many interesting **characters** in the book.
그 책에는 많은 재미있는 등장인물들이 있다.

What kind of **character** is she?
그녀는 성격이 어떠니?

0025

shout

[ʃaut]

동 외치다, 소리치다

He **shouted** at me to answer the phone.
그는 나에게 전화 받으라고 소리쳤다.

0026

feed

[fiːd]

fed - fed

동 먹이다, 먹이를 주다

I have to **feed** the cats now.
나는 지금 고양이들에게 먹이를 줘야 한다.

0027

desert

[dézərt]

명 사막

The Atacama is the driest **desert** on earth.
아타카마(Atacama)는 지구상에서 가장 건조한 사막이다.

0028

direct

[dirékt / dairékt]

동 지휘하다, 감독하다 형 직접적인

Mother was **directed** by Bong Joon-ho.
'마더'는 봉준호가 감독했다.

He avoided a **direct** response to the question.
그는 질문에 대해 직접적인 대답을 피했다.

0029

direction

[dirékʃən / dairékʃən]

명 [1]방향 [2]지시

He asked for **directions** to the bank.
그는 은행의 방향을 물어보았다.

You should follow your teacher's **directions**.
너는 선생님의 지시를 따라야 한다.

0030

share

[ʃɛər]

동 공유하다, 나누다 명 몫

We will **share** your story with our listeners.
우리는 청취자들과 당신의 이야기를 공유할 것입니다.

He ate my **share** of the pizza.
그가 내 몫의 피자를 먹었다.

바로 테스트 < Way to go!

정답 268쪽

영어는 우리말로, 우리말은 영어로 쓰세요.

01 local
02 leave
03 last
04 appearance
05 wild
06 tear
07 especially
08 appear
09 foreigner
10 share
11 direct
12 movement
13 hurt
14 mean
15 bite
16 외국의
17 경험(하다)
18 약(물); 의학
19 사막
20 도착하다
21 외치다, 소리치다
22 수사관, 탐정
23 비밀(의)
24 등장인물; 성격
25 사라지다
26 먹이다, 먹이를 주다
27 아마
28 피하다; 방지하다
29 휴식(을 취하다); 나머지
30 방향; 지시

함께 외우는 어휘 쌍

우리말을 보고 알맞은 단어를 쓰세요.

31 ______ 나타나다, 생기다 — ______ 사라지다

32 ______ 도착하다 — ______ 떠나다, 출발하다

33 ______ 외국의 — ______ 외국인

34 ______ 지휘하다, 감독하다 — ______ 지시

DAY 02

5회독 체크

0031

restroom

[réstrù:m]

명 화장실

Where is the **restroom**?
화장실이 어디인가요?

0032

sleepy

[slí:pi]

형 졸린, 졸음이 오는

I feel **sleepy** in every class.
나는 수업 시간마다 졸리다.

0033

produce

동 [prədjú:s]
명 [prádju:s]

동 생산하다 명 농산물

They have to **produce** a lot of milk.
그들은 많은 양의 우유를 생산해야 한다.

You can buy some fresh **produce** at the store.
당신은 그 가게에서 신선한 농산물을 구입할 수 있다.

0034

product

[prádʌkt]

명 생산물, 상품

I think we should not use plastic **products**.
나는 우리가 플라스틱으로 된 상품을 사용해서는 안 된다고 생각한다.

0035

serious

[síəriəs]

형 심각한, 진지한

He is not a very **serious** person.
그는 그다지 진지한 사람이 아니다.

0036

moment

[móumənt]

명 [1]순간, 때 [2]잠깐

That was the happiest **moment** in his life!
그것은 그의 인생에서 가장 행복한 순간이었다!

Can you wait a **moment**, please?
잠깐 기다려 주시겠어요?

0037

through

[θruː]

전 ~을 통해, ~ 사이로

The river runs **through** wet areas.
그 강은 습지 사이로 흐른다.

0038

without

[wiðáut]

전 부 ~ 없이

Some cars can travel **without** a human driver.
어떤 차들은 사람인 운전자가 없이 이동할 수 있다.

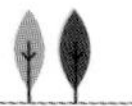

0039

view

[vjuː]

명 1 견해, 관점 2 전망

His **view** on the matter is clear.
그 문제에 관한 그의 견해는 분명하다.

The **view** from the mountaintop was great!
산꼭대기에서의 전망은 굉장했다!

0040

explain

[ikspléin]

동 설명하다

I **explained** the problem to him.
나는 그에게 문제를 설명했다.

0041

else

[els]

부 그 밖에, 다른

I want to ask something **else**.
나는 다른 것을 물어보고 싶다.

0042

weigh

[wei]

동 1 무게가 ~이다 2 무게를 달다

The African elephant can **weigh** up to seven tons.
아프리카코끼리는 무게가 7톤까지 나갈 수 있다.

I'll **weigh** the box.
나는 상자의 무게를 달 것이다.

0043

decorate

[dékərèit]

동 꾸미다, 장식하다

A food stylist **decorates** food to look good for pictures or movies.
푸드 스타일리스트는 음식을 사진이나 영화에서 보기 좋게 장식한다.

0044

text

[tekst]

명 글, 문서 동 (휴대 전화로) 문자 메시지를 보내다

There is not too much **text** in children's books.
어린이용 도서에는 지나치게 많은 글은 없다.

Text me when you get to Jinsu's house.
네가 진수 집에 도착하면 내게 문자 메시지를 보내렴.

0045

press

[pres]

동 [1]누르다 [2]압박하다 명 언론

If you want more information, **press** 0.
만약 당신이 더 많은 정보를 원한다면 0번을 누르세요.

The police officer **pressed** him to get out of his car.
경찰관은 그에게 차에서 내리라고 압박했다.

0046

pressure

[préʃər]

명 압력, 압박

The shoes put too much **pressure** on my feet.
그 구두는 내 발에 너무 많은 압박을 주었다.

0047

point

[pɔint]

명 [1]점, 지점 [2]의견, 주장 동 (손가락 등으로) 가리키다

It was a turning **point** in her life.
그것은 그녀의 인생에서 전환점이었다.

He **points** to the soccer ball.
그는 축구공을 가리킨다.

0048

such

[sətʃː / sʌ́tʃ]

형 그러한 대 그러한 것[사람]

I have never seen **such** a white bird before.
나는 전에 그렇게 하얀 새는 본 적이 없다.

0049

cover

[kʌ́vər]

동 ¹덮다, 가리다 ²다루다 명 덮개

Cover your eyes with your hands.
손으로 눈을 가려라.

The newspapers **covered** the news.
신문들이 그 소식을 다뤘다.

0050

ever

[évər]

부 ¹언제든 ²(비교급, 최상급 강조) 단연코

Have you **ever** been to Jejudo?
너는 제주도에 가 본 적이 있니?

She is the nicest person **ever**.
그녀는 단연코 가장 착한 사람이다.

0051

male

[meil]

명 남성, 수컷 형 남성의, 수컷의

Most of the math teachers in our school are **male**.
우리 학교에 계신 수학 선생님의 대부분은 남성이다.

0052

female

[fíːmeil]

명 여성, 암컷 형 여성의, 암컷의

She is the best **female** singer in the country.
그녀는 국내 최고의 여성 가수이다.

0053

traffic

[trǽfik]

명 교통(량)

Because the **traffic** was heavy, he was late for the meeting.
교통이 막혔기 때문에 그는 회의에 늦었다.

0054

develop

[divéləp]

동 ¹발달시키다 ²개발하다

Children need to **develop** a sense of right and wrong.
아이들은 옳고 그름에 관한 감각을 발달시켜야 한다.

He **developed** new products.
그는 신상품을 개발했다.

0055

respect

[rispékt]

동 [1]존경하다 [2]존중하다 명 [1]존경 [2]존중

Kenneth **respected** him the most in the world.
Kenneth는 그를 세상에서 가장 존경했다.

You have to **respect** her feelings.
너는 그녀의 감정을 존중해 줘야 해.

0056

instead

[instéd]

부 대신에

He had no coffee, so he had tea **instead**.
그는 커피가 없어서 대신 차를 마셨다.

0057

dry

[drai]

형 마른, 건조한 동 마르다, 말리다

The ground is so **dry** that no flowers can grow.
땅이 너무 건조해서 어떤 꽃도 자랄 수 없다.

0058

promise

[prάmis]

동 약속하다 명 약속

I **promise** to come home earlier on the weekends.
내가 주말마다 집에 더 일찍 오겠다고 약속할게.

0059

perform

[pərfɔ́ːrm]

동 [1]수행하다, 실시하다 [2]공연하다

Can you show me how to **perform** the job?
제게 그 일을 하는 방법을 보여 주시겠어요?

We are going to **perform** Puccini's opera.
우리는 푸치니의 오페라를 공연할 것이다.

0060

performance

[pərfɔ́ːrməns]

명 [1]수행, 실행 [2]공연 [3]실적, 성과

I want to watch the hip-hop dance **performance** first.
나는 우선 힙합 춤 공연을 보고 싶다.

The **performance** of our team has been better.
우리 팀의 실적이 나아졌다.

바로 테스트

< Way to go!

정답 268쪽

영어는 우리말로, 우리말은 영어로 쓰세요.

01 dry
02 else
03 press
04 cover
05 ever
06 traffic
07 female
08 without
09 restroom
10 such
11 point
12 perform
13 respect
14 product
15 text
16 심각한, 진지한
17 졸린, 졸음이 오는
18 발달시키다; 개발하다
19 설명하다
20 남성(의), 수컷(의)
21 약속(하다)
22 대신에
23 순간, 때; 잠깐
24 압력, 압박
25 생산하다; 농산물
26 무게가 ~이다; 무게를 달다
27 ~을 통해, ~ 사이로
28 견해, 관점; 전망
29 수행; 공연; 실적
30 꾸미다, 장식하다

함께 외우는 어휘 쌍

우리말을 보고 알맞은 단어를 쓰세요.

31 ______ 생산하다 — ______ 생산물, 상품
32 ______ 압박하다 — ______ 압력, 압박
33 ______ 남성(의), 수컷(의) — ______ 여성(의), 암컷(의)
34 ______ 수행하다; 공연하다 — ______ 수행; 공연

DAY 03

5회독 체크

0061

material

[mətíəriəl]

명 [1]재료, 소재 [2]직물, 천

Old **materials** can be used in new ways.
오래된 재료는 새로운 방식으로 사용될 수 있다.

What **material** is this shirt made of?
이 셔츠는 어떤 천으로 만들어진 것인가요?

0062

repeat

[ripíːt]

동 반복하다 명 반복

He just **repeats** the words that the girl said.
그는 소녀가 했던 말들을 반복할 뿐이다.

0063

waist

[weist]

명 허리

He tied a belt around his **waist**.
그는 허리에 벨트를 맸다.

0064

chest

[tʃest]

명 [1]가슴, 흉부 [2]나무 상자

He got a **chest** X-ray.
그는 흉부 엑스레이를 찍었다.

The **chest** is filled with jewels.
그 나무 상자는 보석으로 가득 차 있다.

0065

apply

[əplái]

동 [1]신청하다, 지원하다 [2]적용하다

Let's go and **apply** for the job.
가서 그 일자리에 지원하자.

His idea can be **applied** to the plan.
그의 아이디어가 그 계획에 적용될 수 있다.

0066

application

[æ̀pləkéiʃən]

명 [1]신청(서) [2]적용 [3]앱(app: 응용 프로그램)

You can get an **application** from me.
당신은 저에게서 신청서를 받아 가실 수 있습니다.

Why don't you download the **application** on your phone?
그 앱을 네 전화기에 다운로드받는 것이 어떠니?

0067

hide

[haid]

hid - hidden

동 **감추다, 숨다**

The boy **hid** behind the tree.
그 남자아이는 나무 뒤에 숨었다.

0068

simple

[símpl]

형 **간단한, 단순한**

During our trip, I made **simple** drawings in my journal.
우리의 여행 동안에 나는 내 일기에 간단한 그림을 그렸다.

● **simply** 부 그냥, 간단히

0069

remain

[riméin]

동 **[1] 계속 ~이다 [2] 남다**

I hope you and I **remain** friends.
나는 너와 내가 계속 친구이기를 바란다.

My boss decided to **remain** at the office.
나의 상사는 사무실에 남기로 결정했다.

0070

sign

[sain]

명 **[1] 징후, 조짐 [2] 표지판** 동 **서명하다**

That's a good **sign** of rain.
그것은 비가 올 좋은 징후이다.

Look at the **sign** on the wall.
벽에 있는 표지판을 봐.

0071

signature

[sígnətʃər]

명 **서명**

The card had his **signature**.
카드에는 그의 서명이 있었다.

0072

necessary

[nésəsèri]

형 **필요한, 필수적인**

Water is **necessary** for all life.
물은 모든 생명에게 필요하다.

0073

shoot

[ʃuːt]

shot - shot

동 [1](총 등을) 쏘다 [2]촬영하다 명 촬영

Someone **shot** at him.
누군가가 그에게 총을 쏘았다.

The movie was **shot** in Busan.
그 영화는 부산에서 촬영되었다.

0074

intelligent

[intéləd͡ʒənt]

형 똑똑한, 지능이 있는

An AI car is a very **intelligent** robotic car.
AI 자동차는 아주 똑똑한 로봇 자동차이다.

0075

thief

[θiːf]

명 도둑, 절도범

The **thief** broke the window at that moment.
그때 도둑이 창문을 깨뜨렸다.

0076

sore

[sɔːr]

형 아픈, 욱신거리는

I have a **sore** throat.
나는 목이 아프다.

0077

unique

[juːníːk]

형 독특한, 특별한

Many **unique** animals live in the Andes.
많은 독특한 동물들이 안데스산맥에 산다.

0078

elderly

[éldərli]

형 연세가 드신

One day, an **elderly** woman walked into a restaurant.
어느 날 한 노부인이 식당에 걸어 들어왔다.

0079

create

[kriéit]

동 **창조하다, 창작하다**

The painting was **created** by Vincent van Gogh in 1889.
그 그림은 1889년에 빈센트 반고흐에 의해 창작되었다.

0080

creation

[kriéiʃən]

명 **창조, 창작(품)**

J. R. R. Tolkien's greatest **creation** is *The Lord of the Rings*.
J. R. R. 톨킨의 가장 위대한 창작물은 '반지의 제왕'이다.

0081

creature

[kríːtʃər]

명 **생명체, 생물**

Viruses are very small **creatures**.
바이러스는 아주 작은 생물이다.

0082

creativity

[krìːeitívəti]

명 **창조력, 창조성**

When I saw the building, I could feel Gaudi's **creativity**.
그 건물을 보았을 때 나는 가우디의 창조력을 느낄 수 있었다.

0083

creative

[kriéitiv]

형 **창조적인, 창의적인**

To become an artist, you should be **creative** and learn about art.
예술가가 되기 위해 당신은 창의적이어야 하고 예술을 배워야 한다.

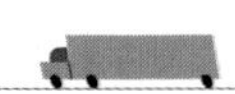

0084

feather

[féðər]

명 **(새의) 털, 깃털**

The bird has colorful **feathers**.
그 새는 알록달록한 깃털이 있다.

0085

rule

[ruːl]

명 규칙 동 지배하다

Our school has a special **rule**.
우리 학교에는 특별한 규칙이 있다.

Queen Victoria **ruled** England for 64 years.
빅토리아여왕은 64년 동안 영국을 지배했다.

0086

popular

[pάpjulər]

형 인기 있는, 대중적인

Red is the most **popular** color these days.
빨간색은 요즘에 가장 인기 있는 색이다.

0087

still

[stil]

부 아직(도) 형 가만히 있는

We **still** have two more hours until lunch break.
우리에게는 점심시간까지 아직 2시간이 더 있다.

I couldn't stand **still**.
나는 가만히 서 있지 못했다.

0088

straight

[streit]

부 똑바로 형 곧은, 똑바른

Cross the street and go **straight** two blocks.
길을 건너서 두 블록을 똑바로 가세요.

0089

express

[iksprés]

동 표현하다 형 급행의, 신속한

They dance to **express** feelings.
그들은 감정을 표현하기 위해 춤춘다.

It takes 40 minutes by **express** train.
급행열차로 40분이 걸린다.

0090

expression

[ikspréʃən]

명 표현

That's a funny **expression**.
그것은 재미있는 표현이다.

< Way to go!

정답 268쪽

영어는 우리말로, 우리말은 영어로 쓰세요.

01 necessary
02 elderly
03 rule
04 shoot
05 express
06 waist
07 material
08 creativity
09 popular
10 sign
11 straight
12 apply
13 remain
14 chest
15 creative
16 생명체, 생물
17 독특한, 특별한
18 서명
19 표현
20 아직(도); 가만히 있는
21 (새의) 털, 깃털
22 도둑, 절도범
23 창조하다, 창작하다
24 똑똑한, 지능이 있는
25 창조, 창작(품)
26 신청(서); 적용; 앱
27 감추다, 숨다
28 아픈, 욱신거리는
29 반복(하다)
30 간단한, 단순한

함께 외우는 어휘 쌍

우리말을 보고 알맞은 단어를 쓰세요.

31 ______ 신청하다; 적용하다 — ______ 신청(서); 적용
32 ______ 서명하다 — ______ 서명
33 ______ 창조하다, 창작하다 — ______ 창조적인, 창의적인
34 ______ 표현하다 — ______ 표현

DAY 04

5회독 체크

0091

step

[step]

명 [1]걸음 [2]단계

I didn't take one **step** outside the classroom.
나는 교실 밖으로 한 걸음도 딛지 않았다.

You can move on to the next **step**.
당신은 다음 단계로 넘어갈 수 있다.

0092

suggest

[səɡdʒést]

동 제안하다, 추천하다

He **suggested** a black dress for his wife.
그는 그의 아내에게 검은색 드레스를 제안했다.

0093

suggestion

[səɡdʒéstʃən]

명 제안, 의견

Do you have some **suggestions**?
제안할 것이 있나요?

0094

throw

[θrou]

threw - thrown

동 던지다

Can you **throw** the ball to me?
내게 그 공을 던져 주겠니?

0095

wave

[weiv]

명 파도, 물결 동 흔들다

On the walls, we painted dolphins jumping over **waves**.
우리는 벽에 파도 위로 뛰어오르는 돌고래들을 그렸다.

Mr. Kang **waved** at us.
강 선생님은 우리에게 손을 흔들어 주었다.

0096

reason

[rí:zn]

명 이유

Can you tell me the **reason** why you're angry?
네가 화가 난 이유를 내게 말해 주겠니?

0097

meal

[miːl]

명 식사, 끼니

Take this medicine after each **meal**.
매 식사 후에 이 약을 먹어라.

0098

prepare

[pripɛ́ər]

동 준비하다

Scientists **prepare** for trips to outer space.
과학자들은 우주로의 여행을 준비한다.

0099

volunteer

[vὰləntíər]

동 1자원하다 2자원봉사하다 명 자원봉사자

She **volunteered** to help Annie.
그녀는 Annie 돕는 것을 자원했다.

Some **volunteers** are needed for the school festival.
학교 축제에 자원봉사자들이 몇 명 필요하다.

0100

voluntary

[vάləntèri]

형 1자발적인, 자진한 2자원봉사로 하는

Playing soccer on Sunday is **voluntary**.
일요일에 축구는 자진해서 한다.

He did some **voluntary** work at the nursing home.
그는 양로원에서 자원봉사를 했다.

0101

closet

[klάzit]

명 벽장

Mom hung my clothes in the **closet**.
엄마는 내 옷을 벽장에 걸어 놓으셨다.

0102

speed

[spiːd]

명 속도

The car is moving at the **speed** of 30km an hour.
그 차는 시간당 30km의 속도로 움직이고 있다.

0103

gather

[gǽðər]

동 모이다, 모으다

People **gather** around a big fire at night.
사람들은 밤에 큰 불 주변으로 모인다.

0104

separate

동 [sépərèit]
형 [sépərət]

동 분리되다, 분리하다 형 분리된

Separate cans and bottles from the garbage.
쓰레기에서 캔과 병을 분리해라.

0105

empty

[émpti]

형 빈, 비어 있는 동 비우다

All the bottles were **empty**.
모든 병들이 비어 있었다.
We should **empty** our trash can more often.
우리는 쓰레기통을 더 자주 비워야 한다.

0106

actually

[ǽktʃuəli]

부 실제로, 사실은

I'm **actually** not a big fan of pop music.
나는 사실 대중음악의 열렬한 팬이 아니다.

0107

uniform

[júːnəfɔ̀ːrm]

명 제복, 군복, 교복

Before she has breakfast, Dora puts on her school **uniform**.
Dora는 아침을 먹기 전에 교복을 입는다.

0108

exercise

[éksərsàiz]

명 운동 동 운동하다

Bike riding is good **exercise**.
자전거 타기는 좋은 운동이다.

0109

reach

[riːtʃ]

동 1~에 이르다, 닿다 2(손을) 뻗다 명 거리, 범위

We **reached** home late at night.
우리는 밤늦게 집에 이르렀다.

You should keep this medicine out of the **reach** of children.
당신은 이 약을 아이들의 손이 닿지 않는 곳에 보관해야 한다.

0110

museum

[mjuːzíːəm]

명 박물관, 미술관

We are planning to visit the **museum**.
우리는 박물관에 가려고 계획 중이다.

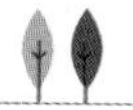

0111

raise

[reiz]

동 1올리다 2키우다 3모으다

If you have any questions, **raise** your hand.
만약 질문이 있으시다면 손을 들어 주세요.

The pig was **raised** by an old woman.
그 돼지는 노부인에 의해 키워졌다.

0112

trick

[trik]

명 1속임수 2마술 동 속이다

They used a mean **trick** to win the game.
그들은 경기에서 이기기 위해 비열한 속임수를 썼다.

The program uses science to explain magic **tricks**.
그 프로그램은 마술을 설명하기 위해 과학을 활용한다.

0113

spread

[spred]

spread - spread

동 1퍼지다, 확산시키다 2바르다 명 확산

The rumor about me kept **spreading**.
나에 관한 소문은 계속해서 퍼져 나갔다.

You can **spread** butter on the bread with it.
당신은 그것으로 빵에 버터를 바를 수 있다.

0114

celebrate

[séləbrèit]

동 기념하다, 축하하다

We had a party to **celebrate** his birthday.
우리는 그의 생일을 축하하기 위해 파티를 열었다.

0115

scare

[skɛər]

동 겁주다, 무서워하다

The monster used to **scare** the villagers.
그 괴물은 주민들을 겁주곤 했다.

0116

scared

[skɛərd]

형 겁먹은, 무서워하는

I got **scared** so I ran straight home.
나는 겁을 먹고 집으로 곧장 뛰어갔다.

0117

scary

[skɛ́əri]

형 무서운, 겁나는

I like to watch **scary** movies.
나는 무서운 영화 보는 것을 좋아한다.

0118

beat

[biːt]

beat - beaten

동 1 때리다, 두드리다 2 이기다 3 (심장이) 고동치다 명 박자

Rain **beat** on the windows.
비가 창문을 두드렸다.

Our basketball team **beat** them.
우리 농구 팀이 그들을 이겼다.

0119

nervous

[nə́ːrvəs]

형 불안해하는, 초조해하는

I get so **nervous** when I'm in front of the teacher.
나는 그 선생님 앞에 있을 때 무척 긴장된다.

0120

title

[táitl]

명 제목 동 제목을 붙이다

The **title** of the painting is the *Mona Lisa*.
그 그림의 제목은 '모나리자'이다.

바로 테스트 < Way to go!

정답 269쪽

영어는 우리말로, 우리말은 영어로 쓰세요.

01 throw
02 voluntary
03 empty
04 reach
05 suggest
06 meal
07 spread
08 scared
09 uniform
10 trick
11 wave
12 scare
13 separate
14 raise
15 beat
16 모이다, 모으다
17 박물관, 미술관
18 준비하다
19 무서운, 겁나는
20 걸음; 단계
21 제목(을 붙이다)
22 제안, 의견
23 실제로, 사실은
24 이유
25 자원(봉사)하다; 자원봉사자
26 운동(하다)
27 불안해하는, 초조해하는
28 기념하다, 축하하다
29 속도
30 벽장

함께 외우는 어휘 쌍

우리말을 보고 알맞은 단어를 쓰세요.

31 ______ 제안하다, 추천하다 — ______ 제안, 의견
32 ______ 자원(봉사)하다 — ______ 자원봉사로 하는
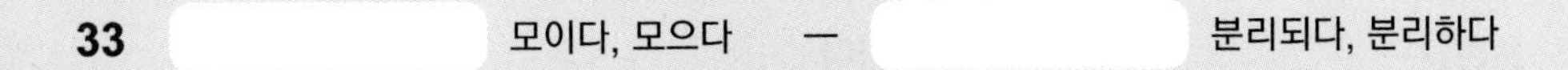
33 ______ 모이다, 모으다 — ______ 분리되다, 분리하다
34 ______ 겁주다 — ______ 무서운, 겁나는

DAY 05

5회독 체크

0121

light

[lait]

형 ¹밝은 ²(색이) 연한 ³가벼운 명 빛, 전깃불

It gets **light** at seven in winter.
겨울에는 7시에 밝아진다.

She has **light** brown hair.
그녀는 연한 갈색 머리이다.

0122

result

[rizʌ́lt]

명 결과

The book is the **result** of his hard work.
그 책은 그가 열심히 일한 결과이다.

0123

field

[fiːld]

명 ¹들판 ²분야

Suncheon Bay has beautiful reed **fields**.
순천만에는 아름다운 갈대숲이 있다.

She was very famous in her **field**.
그녀는 그녀의 분야에서 무척 유명했다.

0124

decide

[disáid]

동 결정하다

My class **decided** to make a vegetable garden.
우리 반은 채소 정원을 만들기로 결정했다.

0125

decision

[disíʒən]

명 결정, 판단

He won't tell me about his **decision**.
그는 내게 그의 결정을 말해 주지 않을 것이다.

0126

sell

[sel]

sold - sold

동 팔다, 판매하다

I'm going to **sell** them at the flea market.
나는 그것들을 벼룩시장에서 판매할 것이다.

0127

president

[prézədənt]

명 회장, 대통령

I'm the **president** of the magic club.
나는 마술 동아리의 회장이다.

0128

contest

[kántest]

명 대회, 시합

Tomorrow I have an English speaking **contest**.
내일 나는 영어 말하기 대회가 있다.

0129

lie

[lai]

[1] **lied - lied**
[2] **lay - lain**

동 [1]거짓말하다 [2]눕다, 놓여 있다 명 거짓말

Don't **lie** to me.
내게 거짓말하지 마.

They **lay** down on the grass.
그들은 잔디 위에 누웠다.

0130

common

[kámən]

형 [1]흔한, 평범한 [2]공통의 명 공유지

It was a **common** mistake.
그것은 흔한 실수였다.

The table is for **common** use.
그 탁자는 공동으로 사용하기 위한 것이다.

0131

environment

[inváiərənmənt]

명 환경

I really care about the **environment**.
나는 환경에 많은 관심을 가지고 있다.

0132

environmental

[invàiərənméntl]

형 환경의

Earth Hour is a famous **environmental** event.
어스아워(Earth Hour: 지구촌 전등 끄기)는 유명한 환경 행사이다.

0133

roll

[roul]

동 **구르다, 굴리다**

I **rolled** the ball.
나는 공을 굴렸다.

0134

medal

[médl]

명 **메달**

We won a gold **medal** in London.
우리는 런던에서 금메달을 땄다.

0135

windy

[wíndi]

형 **바람이 많이 부는**

It's **windy** outside.
밖에 바람이 많이 분다.

0136

talent

[tǽlənt]

명 **재주, 재능**

Let's meet the people with special **talents**.
특별한 재주를 지닌 사람들을 만나 보자.

0137

talented

[tǽləntid]

형 **재주가 있는, 재능이 있는**

Robinson was a **talented** player and a gentle person.
Robinson은 재능 있는 선수이자 온화한 사람이었다.

0138

pour

[pɔːr]

동 **붓다, 따르다**

Pour some lemon sauce on the salad.
샐러드 위에 레몬 소스를 부어라.

0139

weak

[wiːk]

형 약한, 힘이 없는

You start to feel tired and **weak**.
당신은 피곤하고 힘이 없다고 느끼기 시작한다.

0140

borrow

[bárou]

동 빌리다

May I **borrow** this new science book?
제가 이 새 과학책을 빌려도 될까요?

0141

lend

[lend]

lent - lent

동 빌려주다

He **lent** me some English books to read.
그가 나에게 읽을 만한 영어책 몇 권을 빌려줬다.

0142

wing

[wiŋ]

명 날개

Icarus' father made **wings** for his son.
이카로스의 아버지는 아들에게 날개를 만들어 주었다.

0143

temperature

[témpərətʃər]

명 [1]온도 [2]체온

The **temperature** can reach up to 50℃.
온도는 섭씨 50도에 이를 수 있다.

The nurse took his **temperature**.
간호사는 그의 체온을 측정했다.

0144

strike

[straik]

struck - struck

동 [1]치다 [2](재난 등이) 발생하다

The ball **struck** the boy in the face.
공이 소년의 얼굴을 쳤다.

A terrible tsunami **struck** the country in 1999.
끔찍한 쓰나미가 1999년 그 나라에 발생했다.

0145

boil

[bɔil]

동 끓다, 끓이다 명 끓음

You should put the vegetables in after the water **boils**.
당신은 물이 끓은 뒤에 채소를 넣어야 한다.

0146

attack

[ətǽk]

동 공격하다 명 공격

When a dog tried to **attack** me, my cat meowed loudly.
개가 나를 공격하려고 하자, 내 고양이가 크게 야옹하고 울었다.

0147

escape

[iskéip / eskéip]

동 [1]탈출하다, 빠져 나가다 [2]피하다, 모면하다 명 탈출

Stay low and **escape**.
낮은 자세를 유지하고 탈출해라.

The bird **escaped** its enemy's attack.
새는 천적의 공격을 피했다.

0148

skin

[skin]

명 피부, 껍질

Viruses can enter your body through your **skin**.
바이러스는 피부를 통해 당신의 몸에 들어갈 수 있다.

0149

director

[diréktə*r* / dairéktə*r*]

명 책임자, 감독

The **director** will talk about his new movie.
감독이 그의 새 영화에 관해 이야기할 것이다.

0150

machine

[məʃíːn]

명 기계

Do you know how to use the **machine**?
너는 그 기계를 사용하는 방법을 알고 있니?

바로 테스트

< Way to go!

정답 269쪽

영어는 우리말로, 우리말은 영어로 쓰세요.

01 director
02 talented
03 field
04 roll
05 environment
06 strike
07 common
08 attack
09 sell
10 light
11 escape
12 decision
13 machine
14 lend
15 lie
16 회장, 대통령
17 재주, 재능
18 환경의
19 빌리다
20 바람이 많이 부는
21 대회, 시합
22 결정하다
23 메달
24 피부, 껍질
25 끓다, 끓이다; 끓음
26 붓다, 따르다
27 약한, 힘이 없는
28 날개
29 온도; 체온
30 결과

함께 외우는 어휘 쌍

우리말을 보고 알맞은 단어를 쓰세요.

31 ______ 결정하다 — ______ 결정, 판단

32 ______ 환경 — ______ 환경의

33 ______ 재주, 재능 — ______ 재주가 있는

34 ______ 빌리다 — ______ 빌려주다

Idioms in Use DAY 01-05

DAY 01 0018

take a rest

쉬다, 휴식을 취하다

Why don't you **take a rest** in the evening?
저녁에는 쉬는 게 어떠니?

DAY 02 0036

for a moment

잠시 동안

He remained still **for a moment**.
잠시 동안 그는 가만히 있었다.

DAY 02 0056

instead of

~ 대신에

We rode our bikes **instead of** cars.
우리는 차 대신 자전거를 탔다.

DAY 04 0116

be scared of

~을 두려워하다

I **am scared of** your dog.
나는 네 개가 무섭다.

DAY 05 0122

as a result

결과적으로

As a result, our team lost the game.
결과적으로 우리 팀은 경기에서 졌다.

Crossword Puzzle

DAY 01-05

정답 269쪽

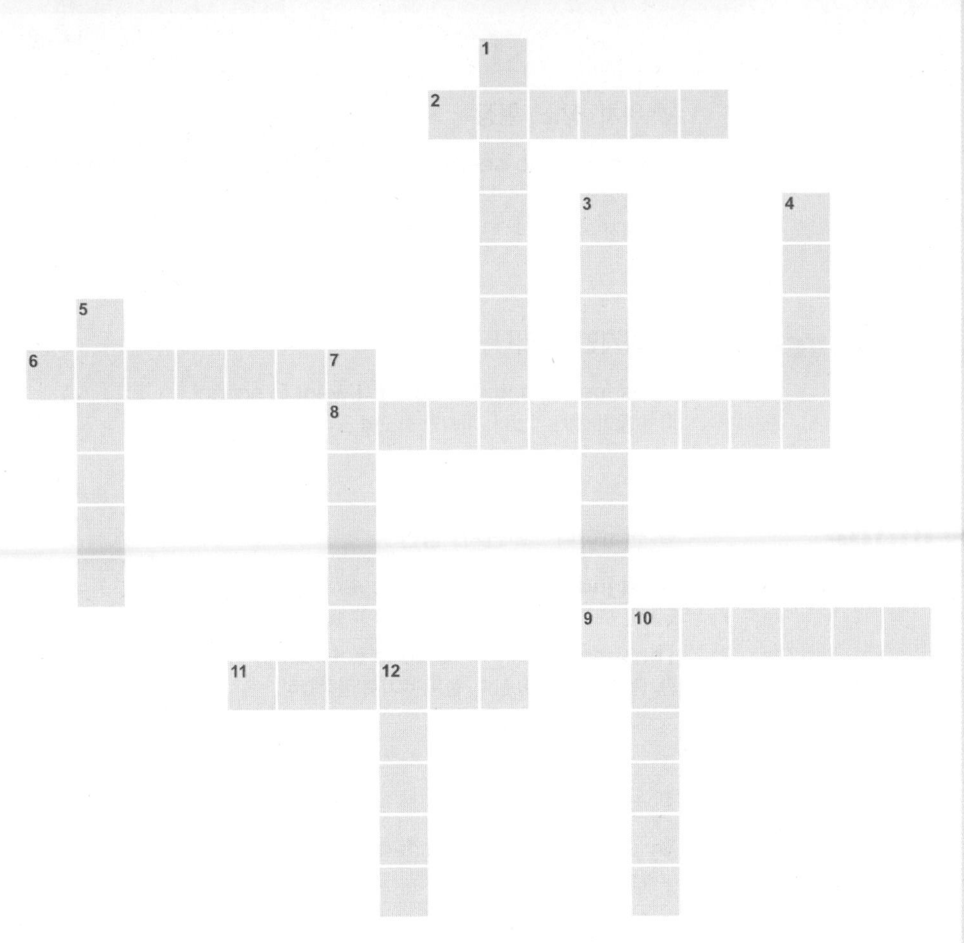

ACROSS

2 이유

6 인기 있는, 대중적인

8 경험(하다)

9 교통(량)

11 공격(하다)

DOWN

1 약(물), 의학

3 회장, 대통령

4 올리다; 키우다; 모으다

5 흔한, 평범한; 공통의; 공유지

7 존경(하다); 존중(하다)

10 계속 ~이다; 남다

12 피하다; 방지하다

DAY 06

5회독 체크

0151

site

[sait]

명 위치, 장소, 현장

It was great to see the historical **sites** of this city from the park.
공원에서 이 도시의 역사적인 장소들을 보는 것은 정말 좋았다.

0152

however

[hauévər]

부 하지만, 그러나

I was feeling bad. **However**, I went to school.
나는 몸이 좋지 않았다. 하지만 학교에 갔다.

0153

judge

[dʒʌdʒ]

동 판단하다 명 판사, 심판

Don't **judge** a book by its cover.
표지만 보고 책을 판단하지 마라. (겉만 보고 판단하지 마라.)

The **judge** finally decided to set Joseph free.
판사는 마침내 Joseph을 풀어 주기로 결정했다.

0154

afraid

[əfréid]

형 무서워하는, 겁내는

My mom is **afraid** of spiders, so she avoids them.
우리 엄마는 거미를 무서워하셔서 그것들을 피하신다.

0155

collect

[kəlékt]

동 1 모으다, 수집하다 2 모금하다

She **collected** information for her science project.
그녀는 과학 프로젝트를 위한 정보를 수집했다.

They **collected** more money than ever before.
그들은 그 어느 때보다 더 많은 돈을 모금했다.

0156

blind

[blaind]

형 눈이 먼, 맹인인

The traffic light looks the same to some people who are **blind** to colors.
신호등은 색맹인 몇몇 사람들에게 똑같아 보인다.

0157

million

[míljən]

명 형 100만(의)

Do you know that every minute we use more than a **million** plastic bags?
당신은 1분마다 우리가 100만 개 이상의 비닐봉지를 사용한다는 것을 아는가?

0158

billion

[bíljən]

명 형 10억(의)

About seven **billion** people live on earth.
지구상에 약 70억 명의 사람들이 산다.

0159

continue

[kəntínjuː]

동 **계속되다, 계속하다**

I went to France to **continue** my studies in 1955.
나는 공부를 계속하기 위해 1955년에 프랑스로 갔다.

0160

bottom

[bátəm]

명 **밑바닥** 형 **밑바닥의**

I made holes in the **bottom** of a pot.
나는 냄비 바닥에 구멍을 뚫었다.

0161

experiment

[ikspérəmənt]

명 **실험** 동 **실험하다**

Scientists who were studying birds did an **experiment**.
새를 연구하고 있던 과학자들은 한 가지 실험을 했다.

0162

army

[áːrmi]

명 **군대**

My brother went into the **army** last summer.
나의 오빠는 지난여름에 군대에 들어갔다.

0163

receipt

[risíːt]

명 **영수증**

When you buy something, you should get the **receipt**.
당신이 무언가를 살 때에는 영수증을 받아야 한다.

0164

toothache

[túːθèik]

명 **치통, 이앓이**

I saw a dentist because of a terrible **toothache**.
나는 심한 치통 때문에 치과에 갔다.

0165

wheel

[*h*wiːl]

명 **바퀴**

The **wheels** started to move along the road.
바퀴가 길을 따라 움직이기 시작했다.

0166

truth

[truːθ]

명 **사실, 진상, 진실**

Thomas wanted people to know the **truth**.
Thomas는 사람들이 진실을 알기를 원했다.

0167

truly

[trúːli]

부 **정말로, 진심으로**

The view of the desert was **truly** wonderful.
사막의 경치는 정말로 멋졌다.

0168

improve

[imprúːv]

동 **개선하다, 향상시키다**

I'm trying hard to **improve** my English.
나는 내 영어 실력을 향상시키기 위해 열심히 노력하고 있다.

0169

realize

[ríːəlàiz]

동 깨닫다, 인식하다

At last, Annie **realized** her dream and became a teacher.
마침내 Annie는 자신의 꿈을 깨닫고 선생님이 되었다.

0170

shine

[ʃain]

shone - shone

동 빛나다, 비추다

His beauty **shines** so brightly.
그의 아름다움이 무척 밝게 빛난다.

0171

allow

[əláu]

동 허락하다, 용납하다

Sitting on the grass is not **allowed**.
잔디 위에 앉는 것은 허용되지 않는다.

0172

allowance

[əláuəns]

명 1 용돈, 비용 2 허용량

I want to get more **allowance**.
나는 더 많은 용돈을 받고 싶다.

The baggage **allowance** is 30 kilograms a person.
수하물의 허용량은 인당 30kg이다.

0173

prevent

[privént]

동 막다, 예방하다

What can you do to **prevent** these problems?
이 문제들을 예방하기 위해 당신은 무엇을 할 수 있을까?

0174

notice

[nóutis]

동 알아차리다 명 통지, 안내문

It is hard to **notice** the problems right away.
문제들을 즉각 알아차리는 것은 어렵다.

I saw a **notice** on the board.
나는 게시판의 안내문을 보았다.

0175

amount

[əmáunt]

명 [1]양 [2]총액, 총계

She gave me a large **amount** of money.
그녀는 내게 많은 양의 돈을 주었다.

The total **amount** was 200 dollars.
총액은 200달러였다.

0176

dictionary

[díkʃənèri]

명 사전

You can look up the meanings of new words in a **dictionary**.
당신은 사전에서 새로운 단어의 뜻을 찾아볼 수 있다.

0177

manage

[mǽnidʒ]

동 [1]운영하다, 관리하다 [2]간신히 ~해내다

You need to **manage** your time well.
당신은 당신의 시간을 잘 관리해야 한다.

He **managed** to get to the school on time.
그는 간신히 학교에 제시간에 도착했다.

0178

manager

[mǽnidʒər]

명 운영자, 관리자

I'd like to talk about the food with the **manager**.
저는 관리자분과 음식에 관해 이야기를 나누고 싶습니다.

0179

crazy

[kréizi]

형 [1]정상이 아닌, 말도 안 되는 [2]미친 듯이 화가 난

A **crazy** thing happened last week.
말도 안 되는 일이 지난주에 일어났다.

I went **crazy** because of the noise.
나는 소음 때문에 미친 듯이 화가 났다.

0180

suit

[suːt]

명 정장, 옷 동 ~에게 맞다, 편리하다

He looks nice in a **suit**.
그는 정장을 입으니 멋져 보인다.

It was hard to find a day that **suits** everyone.
모두가 편한 날을 찾는 것은 어려웠다.

바로 테스트 < Way to go!

정답 270쪽

영어는 우리말로, 우리말은 영어로 쓰세요.

01 manage
02 allowance
03 notice
04 site
05 million
06 suit
07 crazy
08 judge
09 receipt
10 amount
11 truly
12 blind
13 shine
14 collect
15 experiment
16 무서워하는, 겁내는
17 사전
18 10억(의)
19 깨닫다, 인식하다
20 군대
21 바퀴
22 운영자, 관리자
23 사실, 진상, 진실
24 밑바닥(의)
25 허락하다, 용납하다
26 하지만, 그러나
27 개선하다, 향상시키다
28 막다, 예방하다
29 계속되다, 계속하다
30 치통, 이앓이

함께 외우는 어휘 쌍

우리말을 보고 알맞은 단어를 쓰세요.

31 ______ 100만(의) — ______ 10억(의)

32 ______ 사실, 진상, 진실 — ______ 정말로, 진심으로

33 ______ 허락하다, 허용하다 — ______ 허용량

34 ______ 운영하다, 관리하다 — ______ 운영자, 관리자

DAY 07

5회독 체크

0181

warn

[wɔːrn]

동 경고하다, 주의를 주다

The guide **warned** us about pickpockets.
안내원은 우리에게 소매치기에 관해 경고했다.

0182

pollute

[pəlúːt]

동 오염시키다

Unused medicine can **pollute** the water.
사용하지 않은 약은 물을 오염시킬 수 있다.

0183

pollution

[pəlúːʃən]

명 오염, 공해

Did you know that light can also cause **pollution**?
당신은 빛도 공해를 일으킬 수 있다는 것을 알고 있었는가?

0184

support

[səpɔ́ːrt]

동 지지하다, 지원하다 명 지지, 지원

In 1990, Audrey Hepburn visited Vietnam to **support** clean drinking water programs.
1990년에 오드리 헵번은 깨끗한 식수 프로그램을 지원하기 위해 베트남에 방문했다.

0185

tool

[tuːl]

명 1 연장, 도구 2 수단

People once thought that only humans can use **tools**.
사람들은 한때 오직 인간만이 도구를 사용할 수 있다고 여겼다.

Music is a great **tool** to express feelings.
음악은 감정을 표현하는 훌륭한 수단이다.

0186

challenge

[tʃǽlindʒ]

명 도전 동 도전하다

The race was a great **challenge** for me.
그 경주는 내게 큰 도전이었다.

0187

respond

[rispɑ́nd]

동 [1]대답하다, 답장을 보내다 [2]반응을 보이다

Jaden does not know how to **respond**.
Jaden은 어떻게 답해야 할지 모른다.

He is **responding** well to the medicine.
그는 약에 대해 잘 반응하고 있다.

0188

communicate

[kəmjú:nəkèit]

동 의사소통하다

We **communicate** with each other in English.
우리는 서로 영어로 의사소통한다.

0189

charge

[tʃɑ:rdʒ]

명 [1]책임, 담당 [2]요금 동 청구하다

He was in **charge** of marketing.
그는 마케팅을 담당했다.

They **charged** 25 dollars for dinner.
그들은 저녁 식사에 대해 25달러를 청구했다.

0190

achieve

[ətʃí:v]

동 이루다, 성취하다

How would you **achieve** your goal?
너는 어떻게 목표를 이룰 거니?

0191

offer

[ɔ́:fər]

동 제공하다, 제의하다 명 제공, 제의

The Community Center **offers** the yoga class at 3 p.m. every Wednesday in May.
주민 센터는 5월 매주 수요일 오후 3시에 요가 수업을 제공한다.

0192

autumn

[ɔ́:təm]

명 가을

In April, it's **autumn** in Australia.
4월에 호주는 가을이다.

0193

patient

[péiʃənt]

[명] **환자** [형] **참을성 있는**

A nurse is checking the **patients'** temperatures.
간호사가 환자들의 체온을 확인하고 있다.

You should be **patient** with children.
당신은 아이들을 참을성 있게 대해야 한다.

0194

patience

[péiʃəns]

[명] **참을성, 인내심**

You need a lot of **patience** to get a good view of the mountain.
산의 좋은 경치를 보기 위해 당신은 많은 인내심이 필요하다.

0195

exactly

[igzǽktli]

[부] **정확히, 틀림없이**

I know **exactly** what you're talking about.
나는 네가 무엇에 관해 말하고 있는지 정확히 안다.

0196

situation

[sìtʃuéiʃən]

[명] **상황, 처지, 환경**

Our team is in a difficult **situation**.
우리 팀은 힘든 상황에 처해 있다.

0197

among

[əmʌ́ŋ]

[전] **1~ 중에 2~에 둘러싸인**

These are popular **among** people of all ages.
이것들은 모든 연령대의 사람들 사이에서 인기 있다.

There is a building **among** trees.
나무에 둘러싸인 건물이 있다.

0198

joke

[dʒouk]

[명] **농담** [동] **농담하다**

My friends laughed out loud at my **joke**.
내 친구들은 나의 농담에 큰 소리로 웃었다.

0199

focus

[fóukəs]

동 집중하다, 집중시키다 명 초점, 주목

Focus on the things that are easy to change.
바꾸기 쉬운 것들에 집중해라.

The main **focus** of your report should be changed.
네 보고서의 주요 초점은 바뀌어야 한다.

0200

average

[ǽvəridʒ]

명 평균, 보통 형 평균의, 보통의

I sleep seven hours a day on **average**.
나는 하루 평균 7시간을 잔다.

0201

trust

[trʌst]

동 신뢰하다 명 신뢰

I can't **trust** such a liar.
나는 그런 거짓말쟁이는 신뢰할 수 없다.

0202

trusty

[trʌ́sti]

형 믿을 수 있는, 신뢰할 수 있는

He was Kenneth's first friend, his **trusty** driver, and his cook.
그는 Kenneth의 첫 친구이자, 믿음직한 운전사이자, 요리사였다.

0203

compare

[kəmpɛ́ər]

동 비교하다

The professor **compared** their reports carefully.
교수는 그들의 보고서를 주의 깊게 비교했다.

0204

similar

[símələr]

형 비슷한, 유사한

My best friend and I are very **similar**.
내 가장 친한 친구와 나는 아주 비슷하다.

similarly 부 비슷하게, 유사하게

0205

follow

[fálou]

동 ~의 뒤를 따라가다[1] (충고 등을) 따르다[2]

The dog **followed** her home.
개가 그녀를 따라 집에 갔다.

Please listen carefully and **follow** the rules.
주의 깊게 듣고 규칙을 따라 주세요.

0206

following

[fálouiŋ]

형 그 다음의, 다음에 나오는

She passed away the **following** year.
그녀는 그 이듬해에 세상을 떠났다.

0207

normal

[nɔ́:rməl]

형 보통의, 평범한 명 보통, 평범

He is a **normal** teenage boy.
그는 평범한 십 대 소년이다.

0208

predict

[pridíkt]

동 예측하다, 예견하다

It is hard to **predict** the results.
결과를 예측하기는 어렵다.

0209

graduate

동 [grǽdʒuèit]
명 [grǽdʒuət]

동 졸업하다 명 졸업생

He **graduated** from high school last February.
그는 지난 2월에 고등학교를 졸업했다.

Charlie is a **graduate** of Harvard.
Charlie는 하버드의 졸업생이다.

0210

reduce

[ridjú:s]

동 줄이다, 감소시키다

We're trying to **reduce** the amount of waste.
우리는 쓰레기의 양을 줄이려고 노력하고 있다.

바로 테스트 < Way to go!

정답 270쪽

영어는 우리말로, 우리말은 영어로 쓰세요.

01 communicate
02 respond
03 charge
04 autumn
05 average
06 focus
07 patient
08 offer
09 trust
10 among
11 pollution
12 normal
13 support
14 compare
15 follow
16 정확히, 틀림없이
17 농담(하다)
18 경고하다, 주의를 주다
19 예측하다, 예견하다
20 비슷한, 유사한
21 오염시키다
22 상황, 처지, 환경
23 연장, 도구; 수단
24 줄이다, 감소시키다
25 참을성, 인내심
26 이루다, 성취하다
27 졸업하다; 졸업생
28 도전(하다)
29 믿을 수 있는, 신뢰할 수 있는
30 그 다음의, 다음에 나오는

함께 외우는 어휘 쌍

우리말을 보고 알맞은 단어를 쓰세요.

31 ______ 오염시키다 — ______ 오염, 공해

32 ______ 참을성 있는 — ______ 참을성, 인내심

33 ______ 신뢰(하다) — ______ 신뢰할 수 있는

34 ______ ~의 뒤를 따라가다 — ______ 그 다음의

DAY 08

5회독 체크

0211

relax

[rilǽks]

동 휴식을 취하다, 진정하다

I'm planning to spend some time on the beach and **relax** in the sun.
나는 해변에서 시간을 보내고 햇볕을 쬐며 휴식을 취하려고 계획 중이다.

0212

yell

[jel]

동 외치다, 소리치다

"Hey! Watch out!" she **yelled** at him.
"이봐! 조심해!"라고 그녀가 그에게 외쳤다.

0213

whisper

[*h*wíspə*r*]

동 속삭이다 명 속삭임

She often **whispers** in my ear, "This is a secret."
그녀는 종종 내 귀에 대고 "이건 비밀이야."라고 속삭인다.

0214

shot

[ʃɑt]

명 1 발사 2 (농구 등에서) 슛

He fired a **shot**.
그는 (총을) 한 발 쏘았다.

My brother can do a dunk **shot**.
나의 오빠는 덩크 슛을 넣을 수 있다.

0215

save

[seiv]

동 1 구하다 2 아끼다, 절약하다

The story is about a father who **saves** his son.
그 이야기는 자신의 아들을 구하는 한 아버지에 관한 것이다.

We must **save** energy.
우리는 에너지를 아껴야 한다.

0216

waste

[weist]

동 낭비하다 명 1 낭비 2 쓰레기

Let's not **waste** food from now on.
지금부터 음식을 낭비하지 말자.

The **waste** can be turned into food for the plants.
쓰레기는 식물들을 위한 음식으로 바뀔 수 있다.

0217

lay

[lei]

laid - laid

동 1놓다, 두다 2알을 낳다

I **laid** my hand on his arm.
나는 그의 팔에 내 손을 얹어 놓았다.

Frogs can **lay** about 20,000 eggs at a time.
개구리는 한 번에 약 2만 개의 알을 낳을 수 있다.

0218

nearby

[nìərbái]

형 인근의, 가까운 곳의 부 인근에, 가까운 곳에

Many people moved to a **nearby** country.
많은 사람들이 가까운 나라로 이주했다.

0219

flow

[flou]

동 흐르다 명 흐름

Unlike a lake, a river **flows** down into the ocean.
호수와는 다르게 강은 바다로 흘러 들어간다.

0220

mix

[miks]

동 섞이다, 섞다

If you **mix** black and white, you will get gray.
만약 당신이 검은색과 흰색을 섞으면 회색을 얻게 될 것이다.

0221

mixture

[míkstʃər]

명 혼합(물)

Air is a **mixture** of gases.
공기는 기체의 혼합물이다.

0222

steal

[stiːl]

stole - stolen

동 훔치다, 도둑질하다

Someone **stole** Jamie's bike yesterday.
누군가가 어제 Jamie의 자전거를 훔쳐 갔다.

0223

period
[pí:əriəd]

명 기간, 시기

Mr. Harper has worked for the company over the **period** of 30 years.
Harper 씨는 30년이라는 기간 동안 그 회사에 근무해 왔다.

0224

sharp
[ʃɑ:rp]

형 날카로운, 예리한

Sharks have **sharp** teeth.
상어는 날카로운 이빨을 가지고 있다.

0225

nod
[nɑd]

동 (고개를) 끄덕이다

We asked him if he was okay, and he **nodded**.
우리는 그에게 괜찮은지를 물었고, 그는 고개를 끄덕였다.

0226

award
[əwɔ́:rd]

명 상 동 상을 주다

My school won an **award** for healthy school food last year.
우리 학교는 작년에 건강한 학교 음식에 대해 상을 받았다.

0227

publish
[pʌ́bliʃ]

동 출판하다, 발행하다

Webtoons are **published** online, so you can read them anytime, anywhere on your phone or computer.
웹툰은 온라인으로 발행되어 당신은 언제, 어디서든 전화기나 컴퓨터로 읽을 수 있다.

0228

beside
[bisáid]

전 ~의 옆에

I saw a baby elephant drinking water **beside** her mother.
나는 새끼 코끼리가 어미 옆에서 물 마시고 있는 것을 보았다.

0229

silly

[síli]

형 **어리석은, 바보 같은**

The character makes you laugh by doing or saying **silly** things.
그 등장인물은 바보 같은 행동이나 말을 함으로써 당신을 웃게 만든다.

0230

scene

[siːn]

명 **[1]현장 [2]장면**

The police went to the **scene**.
경찰이 현장에 갔다.

The last **scene** of the movie made me cry.
영화의 마지막 장면이 나를 울게 만들었다.

0231

scenery

[síːnəri]

명 **경치, 풍경**

What do you want to do when you see beautiful **scenery**?
아름다운 풍경을 보면 당신은 무엇을 하고 싶은가?

0232

royal

[rɔ́iəl]

형 **왕의, 왕실의** 명 **왕족**

He is a part of the **royal** family in the UK.
그는 영국 왕실 가문의 일원이다.

0233

prove

[pruːv]

proved - proven

동 **입증하다, 증명하다**

She **proved** that he was right.
그녀는 그가 옳았다는 것을 입증했다.

0234

[míʃən]

명 **[1]임무 [2]사절단, 대표단**

Our **mission** is to build a city on Mars.
우리의 임무는 화성에 도시를 건설하는 것이다.

The special **mission** was sent to Norway.
특별 사절단이 노르웨이에 파견되었다.

0235

survey

[sərvéi]

명 조사 동 조사하다

Most students in our school responded to the **survey**.
우리 학교의 대부분의 학생들이 조사에 응했다.

0236

scream

[skriːm]

명 비명 동 비명을 지르다

I heard a **scream** and went outside.
나는 비명 소리를 듣고 밖으로 나갔다.

0237

competition

[kὰmpətíʃən]

명 경쟁, 대회

Do you remember the singing **competition** last year?
너는 작년 노래 경연 대회가 기억나니?

0238

float

[flout]

동 뜨다, 떠가다

Their boat is **floating** on the river.
그들의 배는 강 위를 떠다니고 있다.

0239

sink

[siŋk]

sank - sunk

동 가라앉다, 침몰시키다 명 (부엌의) 개수대, 싱크대

Eggs that **sink** in water are fresh.
물속에 가라앉는 달걀은 신선하다.

Please leave the dishes in the **sink**.
접시를 싱크대에 놓아두세요.

0240

handle

[hǽndl]

명 손잡이 동 다루다, 처리하다

My cup has three **handles**, so it is easy to hold.
내 컵에는 손잡이가 3개 달려 있어서 잡기가 쉽다.

I can **handle** the problem by myself.
나 혼자 그 문제를 처리할 수 있다.

바로 테스트 < Way to go!

정답 270쪽

영어는 우리말로, 우리말은 영어로 쓰세요.

01 waste
02 relax
03 silly
04 nearby
05 scene
06 prove
07 mix
08 lay
09 yell
10 nod
11 handle
12 shot
13 beside
14 royal
15 sink
16 출판하다, 발행하다
17 뜨다, 떠가다
18 경치, 풍경
19 기간, 시기
20 날카로운, 예리한
21 혼합(물)
22 상(을 주다)
23 경쟁, 대회
24 훔치다, 도둑질하다
25 조사(하다)
26 속삭이다; 속삭임
27 비명(을 지르다)
28 흐르다; 흐름
29 구하다; 아끼다, 절약하다
30 임무; 사절단, 대표단

함께 외우는 어휘 쌍

우리말을 보고 알맞은 단어를 쓰세요.

31 ______ 아끼다, 절약하다 — ______ 낭비(하다)

32 ______ 섞이다, 섞다 — ______ 혼합(물)

33 ______ 현장; 장면 — ______ 경치, 풍경

34 ______ 뜨다, 떠가다 — ______ 가라앉다, 침몰시키다

DAY 09

5회독 체크

0241

entire

[intáiər]

형 **전체의, 온**

I spent an **entire** day on the report.
나는 그 보고서로 하루 온종일을 보냈다.

0242

detail

[ditéil / dí:teil]

명 **세부 사항**

You might miss the important **details** of paintings.
당신은 그림의 중요한 세부 사항들을 놓칠지도 모른다.

0243

cause

[kɔ:z]

동 **~을 야기하다** 명 **원인**

Drinking too much **causes** health problems.
지나친 음주는 건강 문제를 야기한다.

Could you tell me the **causes** of the fire?
화재의 원인을 제게 말씀해 주시겠습니까?

0244

effect

[ifékt]

명 **영향, 결과, 효과**

Light pollution can have serious **effects** on humans and wildlife.
빛 공해는 인간과 야생 동물에 심각한 영향을 미칠 수 있다.

0245

flash

[flæʃ]

명 **1 번쩍임 2 (사진기의) 플래시** 동 **번쩍이다**

We saw a **flash** of light in the dark.
우리는 어둠 속에서 빛이 번쩍이는 것을 보았다.

Using a **flash** is not allowed here.
(사진기의) 플래시를 사용하는 것은 이곳에서 허용되지 않는다.

0246

strict

[strikt]

형 **엄한, 엄격한**

The new math teacher looks very **strict** and serious.
새로 오신 수학 선생님은 아주 엄격하고 진지해 보이신다.

0247

ordinary

[ɔ́ːrdənèri]

형 **보통의, 일상적인**

In many ways, 42-year-old Joseph Palmer was an **ordinary** person.
많은 면에서 42세의 Joseph Palmer는 평범한 사람이었다.

0248

navy

[néivi]

명 **[1]해군 [2]짙은 남색**

My uncle joined the **navy** two years ago.
우리 삼촌은 2년 전에 해군에 입대했다.

I bought a big **navy** umbrella.
나는 큰 남색 우산을 샀다.

0249

tradition

[trədíʃən]

명 **전통**

The school has a long **tradition**.
그 학교는 오랜 전통을 가지고 있다.

0250

traditional

[trədíʃənl]

형 **전통의, 전통적인**

This room is full of **traditional** Korean things.
이 방은 전통적인 한국 물건들로 가득 차 있다.

0251

artificial

[ɑ̀ːrtəfíʃəl]

형 **인공의, 인위적인**

Taeho works for a company that makes **artificial** hands and legs.
태호는 인공 손과 다리를 만드는 회사에서 일한다.

0252

switch

[switʃ]

동 **바꾸다, 전환하다** 명 **[1]전환 [2]스위치**

Switch your legs and repeat the exercise.
다리를 바꾸고 운동을 반복해라.

I pressed the **switch** and turned on the light.
나는 스위치를 눌러 불을 켰다.

0253

fancy

[fǽnsi]

형 화려한, 장식적인

My sister wore a **fancy** dress at the party.
내 여동생은 파티에서 화려한 드레스를 입었다.

0254

discount

[dískaunt / diskáunt]

명 할인 동 할인하다

Can I get a **discount**?
제가 할인을 받을 수 있을까요?

0255

stick

[stik]

stuck - stuck

동 1붙이다 2찌르다 명 막대기

I **stuck** a stamp on the postcard.
나는 엽서에 우표를 붙였다.

The child **stuck** her finger up her nose.
그 아이는 손가락을 코에 찔러 넣었다.

0256

sticky

[stíki]

형 끈적거리는, 달라붙는

The web is very strong and **sticky**.
거미줄은 무척 강하고 끈적거린다.

0257

totally

[tóutəli]

부 완전히, 전적으로

I **totally** agree with you.
나는 네게 전적으로 동의한다.

0258

lightning

[láitniŋ]

명 번개

Lightning struck, and it became bright for a second or two.
번개가 쳤고, 1~2초 동안은 밝아졌다.

0259

myth

[miθ]

명 **신화**

This is Icarus in the famous **myth** in Greece.
이것은 그리스의 유명한 신화에 나오는 이카로스이다.

0260

bother

[bɑ́ðər]

동 **괴롭히다, 귀찮게 하다**

Please stop **bothering** me when I'm studying.
내가 공부하고 있을 때에는 나를 귀찮게 하지 말아 줘.

0261

expand

[ikspǽnd]

동 **확대하다, 확장시키다**

Gas **expands** when it is heated.
기체는 뜨거워지면 팽창한다.

0262

festival

[féstəvəl]

명 **축제**

Let's watch a cooking show at the **festival** this Tuesday.
이번 화요일에 축제에서 요리 쇼를 보자.

0263

bump

[bʌmp]

동 **충돌하다** 명 **충돌**

At the corner, Seho **bumped** into someone.
모퉁이에서 세호는 누군가와 부딪혔다.

0264

shower

[ʃáuər]

명 **1 샤워(기) 2 소나기**

I take a quick 5 minute **shower** every day.
나는 매일 5분간의 짧은 샤워를 한다.

I was caught in a heavy **shower**.
나는 거센 소나기를 만났다.

0265

danger

[déindʒər]

명 위험

In some countries, people are in **danger** because they don't have enough water.

몇몇 나라에서 사람들은 충분한 물이 없기 때문에 위험에 처해 있다.

0266

dangerous

[déindʒərəs]

형 위험한

Robots can do the **dangerous** work so humans don't have to.

로봇이 위험한 일을 할 수 있어서 인간은 할 필요가 없다.

0267

sunlight

[sʌ́nlàit]

명 햇빛, 햇살

In Mexico, people wear hats to stay cool under the hot and strong **sunlight**.

멕시코에서 사람들은 뜨겁고 강렬한 햇빛 밑에서 시원하게 지내기 위해 모자를 쓴다.

0268

against

[əgénst / əgéinst]

전 [1]~에 반대하여, ~에 맞서 [2]~을 향하여

I'm **against** your plan.

나는 네 계획에 반대한다.

A girl is kicking a soccer ball **against** a wall.

한 소녀가 벽을 향해 축구공을 차고 있다.

0269

although

[ɔːlðóu]

접 비록 ~일지라도

Although there are many books and movies about Mars, no one has been there yet.

비록 화성을 다룬 많은 책과 영화가 있을지라도, 아직 아무도 그곳에 가 보지 않았다.

0270

artwork

[áːrtwə̀ːrk]

명 예술품

Picasso couldn't stop creating **artwork**.

피카소는 예술품을 창작하는 것을 멈출 수가 없었다.

바로 테스트

< Way to go!

정답 271쪽

영어는 우리말로, 우리말은 영어로 쓰세요.

01 effect
02 flash
03 against
04 detail
05 bother
06 myth
07 strict
08 sunlight
09 artificial
10 tradition
11 lightning
12 switch
13 stick
14 totally
15 danger
16 할인(하다)
17 화려한, 장식적인
18 예술품
19 샤워(기); 소나기
20 비록 ~일지라도
21 전통의, 전통적인
22 확대하다, 확장시키다
23 ~을 야기하다; 원인
24 보통의, 일상적인
25 위험한
26 축제
27 해군; 짙은 남색
28 충돌(하다)
29 끈적거리는, 달라붙는
30 전체의, 온

함께 외우는 어휘 쌍

우리말을 보고 알맞은 단어를 쓰세요.

31 ____ ~을 야기하다; 원인 — ____ 영향, 결과, 효과

32 ____ 전통 — ____ 전통의, 전통적인

33 ____ 붙이다 — ____ 끈적거리는

34 ____ 위험 — ____ 위험한

DAY 10

5회독 체크

0271

pack

[pæk]

동 (짐을) 싸다, 포장하다

Did you **pack** for the school trip tomorrow?
너는 내일 수학여행 갈 짐을 쌌니?

0272

package

[pǽkidʒ]

명 소포, 꾸러미

Can you put the **package** on the table?
소포를 탁자 위에 올려놓아 주시겠어요?

0273

crack

[kræk]

명 (갈라져 생긴) 금, 틈 동 갈라지다

Oh, your cup has a **crack**.
이런, 네 컵에 금이 갔어.

Gunnar saw the river ice **cracking**.
Gunnar는 강의 얼음이 갈라지고 있는 것을 보았다.

0274

crow

[krou]

명 1까마귀 2수탉 울음소리 동 ('꼬끼오'하고) 울다

The **crow** is a very smart bird.
까마귀는 무척 영리한 새다.

Roosters **crow** every morning.
수탉은 매일 아침 운다.

0275

filter

[fíltər]

명 여과기, 필터 동 거르다, 여과하다

The machine has a **filter** within the water tank.
그 기계는 물탱크 안에 여과기가 있다.

0276

fry

[frai]

동 굽다, 볶다, 튀기다

Fry the vegetables in oil.
채소를 기름에 볶아라.

0277

mosquito

[məskíːtou]

명 모기

Male **mosquitoes** only feed on fruit and plant juice.
수컷 모기는 오직 과일과 식물의 즙만 먹고 산다.

0278

per

[pər:]

전 ~당, ~마다

The roller coaster goes as fast as 140km **per** hour.
그 롤러코스터는 시속 140km로 간다.

0279

invent

[invént]

동 발명하다

I was reading about how Zuckerberg **invented** Facebook.
나는 저커버그가 어떻게 Facebook을 발명했는지에 관해 읽고 있었다.

0280

invention

[invénʃən]

명 발명(품)

He made some **inventions** for the elderly.
그는 어르신들을 위한 발명품 몇 가지를 만들었다.

0281

pile

[pail]

명 더미, 무더기 동 쌓다, 포개다

She put a **pile** of books on her desk.
그녀는 책상 위에 책 한 무더기를 올려놓았다.

Homer **piled** the doughnuts on the counter.
Homer는 계산대 위에 도넛을 쌓아 놓았다.

0282

relay

[ríːlei]

동 전달하다 명 계주

He **relayed** the news to his friends.
그는 자신의 친구들에게 소식을 전달했다.

They took part in the **relay** race.
그들은 계주 경기에 참가했다.

0283

riddle

[rídl]

명 **수수께끼**

Any prince who wants to marry her must answer three **riddles**.
그녀와 결혼하고 싶은 어떤 왕자라도 세 가지 수수께끼에 답해야 한다.

0284

seaside

[síːsàid]

명 **해변** 형 **해변의**

I spent my holidays at the **seaside**.
나는 휴일을 해변에서 보냈다.

0285

image

[ímidʒ]

명 **1인상, 이미지 2상, 모습**

We have to improve the **image** of our country.
우리는 우리나라의 인상을 개선해야 한다.

He saw his **image** in the mirror.
그는 거울 속 자신의 모습을 보았다.

0286

imagine

[imǽdʒin]

동 **상상하다**

Imagine you are in the middle of a great desert.
당신이 거대한 사막 한 가운데에 있다고 상상해 보아라.

0287

stadium

[stéidiəm]

명 **경기장**

The **stadium** was full of soccer fans.
경기장이 축구 팬들로 가득 차 있었다.

0288

sunscreen

[sʌ́nskrìːn]

명 **자외선 차단제**

Why don't you put on **sunscreen** before you leave?
출발하기 전에 자외선 차단제를 바르는 게 어떠니?

0289

system

[sístəm]

명 [1]체계 [2]제도, 체제

The company changed its security **system**.
회사는 보안 체계를 바꿨다.

We are trying to improve our food safety **system**.
우리는 우리의 식품 안전 제도를 개선하려고 노력하고 있다.

0290

cheer

[tʃiər]

동 [1]환호하다 [2]응원하다 명 [1]환호 [2]응원

There are many people who are **cheering**.
환호하고 있는 많은 사람들이 있다.

Fans **cheered** for the players.
팬들은 선수들을 응원했다.

0291

cheerful

[tʃíərfəl]

형 발랄한, 쾌활한

Her **cheerful** voice made me smile.
그녀의 발랄한 목소리가 나를 미소 짓게 했다.

0292

thumb

[θʌm]

명 엄지손가락

She hurt her **thumb** playing baseball.
그녀는 야구를 하다가 엄지손가락을 다쳤다.

0293

toward

[tɔːrd]

전 ~ 쪽으로, ~을 향하여

A river flows **toward** the ocean.
강은 바다를 향해 흐른다.

0294

unlike

[ʌnláik]

전 ~와 다른 형 서로 다른

Unlike other birds, penguins can't fly.
다른 새들과는 다르게 펭귄은 날지 못한다.

0295

wax

[wæks]

명 밀랍

Daedalus glued bird feathers together with **wax**.
다이달로스는 새의 깃털을 밀랍으로 붙였다.

0296

special

[spéʃəl]

형 특별한

Do you have any **special** plans this weekend?
너는 이번 주말에 어떤 특별한 계획이 있니?

0297

practice

[prǽktis]

명 연습 동 연습하다

I have soccer **practice** today.
나는 오늘 축구 연습이 있다.

0298

plant

[plænt]

명 식물 동 심다

It is a way of growing **plants** without soil.
그것은 흙 없이 식물을 기르는 방법이다.

We are planning to **plant** trees.
우리는 나무를 심으려고 계획 중이다.

0299

favorite

[féivərit]

형 아주 좋아하는 명 아주 좋아하는 것[사람]

Talk about your **favorite** baseball team.
네가 좋아하는 야구팀에 관해 이야기해 봐.

0300

subject

[sʌ́bdʒikt]

명 1주제 2과목

There are different paintings with the same **subject**.
같은 주제를 다룬 다른 그림들이 있다.

My plan for this year is getting a good grade in every **subject**.
올해 나의 계획은 모든 과목에서 좋은 성적을 받는 것이다.

< Way to go!

정답 271쪽

영어는 우리말로, 우리말은 영어로 쓰세요.

01 favorite
02 crack
03 system
04 relay
05 pile
06 stadium
07 filter
08 unlike
09 riddle
10 crow
11 image
12 special
13 invent
14 package
15 cheer
16 자외선 차단제
17 ~당, ~마다
18 굽다, 볶다, 튀기다
19 (짐을) 싸다, 포장하다
20 ~ 쪽으로, ~을 향하여
21 밀랍
22 상상하다
23 모기
24 해변(의)
25 주제; 과목
26 발명(품)
27 식물; 심다
28 엄지손가락
29 발랄한, 쾌활한
30 연습(하다)

함께 외우는 어휘 쌍

우리말을 보고 알맞은 단어를 쓰세요.

31 ______ (짐을) 싸다 — ______ 소포, 꾸러미

32 ______ 발명하다 — ______ 발명(품)

33 ______ 인상; 상 — ______ 상상하다

34 ______ 환호(하다) — ______ 발랄한, 쾌활한

Idioms in Use DAY 06-10

DAY 06 0157

millions of

수백만의

I study animals that lived **millions of** years ago.
나는 수백만 년 전에 살았던 동물들을 연구한다.

DAY 06 0166

to tell the truth

사실대로 말하자면, 사실은

To tell the truth, I'm not happy with his restaurant.
사실 나는 그의 식당이 마음에 들지 않는다.

DAY 06 0179

drive ~ crazy

~을 미치게 하다

She sometimes **drives** me **crazy**.
그녀는 가끔씩 나를 미치게 한다.

DAY 07 0199

focus on

~에 집중하다

We have to **focus on** more important things.
우리는 더 중요한 것들에 집중해야 한다.

DAY 07 0204

be similar to

~와 비슷하다

The color of my car **is similar to** that of yours.
내 차의 색상은 네 차의 것과 비슷하다.

Word Puzzle

정답 271쪽

Find the words.

Q	A	L	B	Q	O	P	Z	U	O	I	E	E
J	V	Y	B	C	S	U	P	P	O	R	T	S
L	X	O	R	M	F	V	Z	F	L	A	J	D
C	X	K	H	E	X	E	F	L	V	E	I	R
E	Q	T	C	T	V	E	Z	E	T	G	T	W
E	O	H	L	S	R	O	R	I	J	T	N	S
R	W	G	E	Y	I	A	R	T	L	H	E	N
I	C	I	O	S	G	O	T	J	S	A	V	P
T	E	L	Q	E	V	U	G	Y	D	N	E	E
N	A	N	D	A	J	P	K	C	L	E	R	R
E	W	U	F	F	H	X	A	L	E	R	P	I
F	U	S	C	O	N	T	I	N	U	E	J	O
Q	C	R	L	V	F	I	P	E	C	R	M	D

relax 휴식을 취하다	offer 제공(하다)	entire 전체의, 온
support 지지(하다)	realize 깨닫다	favorite 아주 좋아하는 (것)
sunlight 햇빛, 햇살	period 기간, 시기	prevent 막다, 예방하다
continue 계속되다	system 체계; 제도	average 평균(의)

DAY 11

5회독 체크

0301

ride

[raid]

rode - ridden

동 (자전거 등을) 타다 명 타고 가기

I often go to the park and **ride** my bike.
나는 자주 공원에 가서 자전거를 탄다.

0302

spend

[spend]

spent - spent

동 1(돈을) 쓰다 2(시간을) 보내다

I want to **spend** money wisely.
나는 현명하게 돈을 쓰고 싶다.

I want to **spend** more time with you.
나는 너와 더 많은 시간을 보내고 싶다.

0303

match

[mætʃ]

명 1경기 2성냥 동 어울리다

There will be a soccer **match** between Korea and Turkey.
한국과 터키 사이에 축구 경기가 있을 것이다.

The song **matched** her voice better.
그 노래가 그녀의 목소리와 더 잘 어울렸다.

0304

amazing

[əméiziŋ]

형 놀라운

It is **amazing** to fly through a world of snow.
눈의 세계를 날아가는 것은 놀라운 일이다.

0305

even

[íːvən]

부 ~도, ~조차

The little black dress which she wore in a movie is famous **even** today.
그녀가 영화에서 입었던 작은 검은색 드레스는 오늘날에도 유명하다.

0306

order

[ɔ́ːrdər]

동 1주문하다 2명령하다 명 1주문 2명령

We **ordered** many different dishes.
우리는 많은 다양한 음식을 주문했다.

He **ordered** us to stand up.
그는 우리에게 일어나라고 명령했다.

0307

protect

[prətékt]

동 보호하다, 지키다

There are some ways to **protect** yourself from viruses.
바이러스로부터 네 자신을 보호할 몇 가지 방법이 있다.

0308

protection

[prətékʃən]

명 보호

The president is under 24-hour police **protection**.
대통령은 24시간 경찰의 보호를 받고 있다.

0309

trash

[træʃ]

명 쓰레기

My dad always makes me take out the **trash**.
나의 아빠는 항상 나에게 쓰레기를 내다 버리게 하신다.

0310

taste

[teist]

명 [1]맛 [2]취향 동 ~한 맛이 나다

I like the sweet **taste** of the bread.
나는 그 빵의 달콤한 맛을 좋아한다.

She can design clothes that suit her **tastes**.
그녀는 자신의 취향에 맞는 옷을 디자인할 수 있다.

0311

huge

[*h*juːdʒ]

형 막대한, 엄청난

She is a **huge** fan of Stevie Wonder.
그녀는 Stevie Wonder의 열렬한 팬이다.

0312

during

[d*j*uəriŋ]

전 ~ 동안

Turn off your smartphone **during** meetings.
회의 중에는 스마트폰의 전원을 꺼라.

0313

enjoy

[indʒɔ́i]

동 **즐기다**

I **enjoy** outdoor sports.
나는 야외에서 하는 운동을 즐긴다.

0314

culture

[kʌ́ltʃər]

명 **문화**

I'd like to introduce Korean **culture** to the world.
나는 세계에 한국 문화를 소개하고 싶다.

0315

society

[səsáiəti]

명 **사회, 집단**

In today's **society**, pollution is a very serious problem.
오늘날 사회에서 오염은 매우 심각한 문제이다.

0316

social

[sóuʃəl]

형 **사회의, 사회적인**

Koalas only spend 15 minutes a day on **social** activity.
코알라는 하루에 단 15분만을 사회 활동에 쓴다.

0317

piece

[piːs]

명 **조각, 부분**

Cut the pineapple into small **pieces**.
파인애플을 작은 조각으로 잘라라.

0318

report

[ripɔ́ːrt]

동 **알리다, 보고하다** 명 **보고(서)**

He **reported** what had happened.
그는 무슨 일이 일어났었는지 알렸다.

I need the book for my science **report**.
나는 과학 보고서 때문에 그 책이 필요하다.

0319

usually

[júːʒuəli / júːʒwəli]

부 **보통, 대개**

My father **usually** comes home late from work.
나의 아버지께서는 퇴근하고 보통 늦게 집에 오신다.

0320

carry

[kǽri]

동 **가지고 가다, 나르다**

Can you help me **carry** this bag?
내가 이 가방 나르는 것을 도와주겠니?

0321

thin

[θin]

형 **얇은, 마른** 부 **얇게**

I'm very **thin** and weak.
나는 무척 말랐고 약하다.

0322

thick

[θik]

형 **[1]두꺼운 [2]빽빽한, 울창한** 부 **두껍게**

He wore super **thick** glasses.
그는 굉장히 두꺼운 안경을 쓰고 있었다.

There was a **thick** forest around the lake.
호주 주변에 울창한 숲이 있었다.

0323

wrong

[rɔ́ːŋ]

형 **잘못된, 틀린** 부 **잘못, 틀리게**

Many people often took the **wrong** bus and wasted their time.
많은 사람들이 자주 잘못된 버스를 탔고 시간을 낭비했다.

0324

shape

[ʃeip]

명 **모양, 형태** 동 **~ 모양으로 만들다**

People of Silla made rice cakes in the **shape** of a half moon.
신라 시대의 사람들은 반달 모양으로 떡을 만들었다.

0325

laugh

[læf]

동 웃다

They looked at each other and **laughed**.
그들은 서로를 보고 웃었다.

0326

nickname

[níknèim]

명 별명

Her **nickname** is “Walking Dictionary.”
그녀의 별명은 ‘걸어 다니는 사전’이다.

0327

seafood

[síːfùːd]

명 해산물

We decided to have **seafood** fried rice for lunch.
우리는 점심으로 해산물 볶음밥을 먹기로 결정했다.

0328

language

[lǽŋgwidʒ]

명 언어

Be careful not to use bad **language**.
나쁜 말을 쓰지 않도록 조심해라.

0329

nature

[néitʃər]

명 1자연 2천성, 본질

I enjoy taking pictures of **nature**, like trees and flowers.
나는 나무, 꽃과 같은 자연의 사진을 찍는 것을 즐긴다.

By **nature,** my brother is such a kind boy.
내 남동생은 천성적으로 무척 친절한 소년이다.

0330

natural

[nǽtʃərəl]

형 1자연의 2타고난

It was so amazing to see the **natural** beauty.
자연의 아름다움을 보는 것은 무척 놀라웠다.

She is a **natural** artist.
그녀는 타고난 예술가이다.

영어는 우리말로, 우리말은 영어로 쓰세요.

01	protect	16	보통, 대개
02	report	17	가지고 가다, 나르다
03	match	18	언어
04	ride	19	막대한, 엄청난
05	taste	20	문화
06	spend	21	자연; 천성, 본질
07	wrong	22	즐기다
08	even	23	보호
09	natural	24	조각, 부분
10	during	25	얇은, 마른; 얇게
11	nickname	26	놀라운
12	shape	27	사회, 집단
13	thick	28	해산물
14	order	29	쓰레기
15	social	30	웃다

함께 외우는 어휘 쌍

우리말을 보고 알맞은 단어를 쓰세요.

31 ______ 보호하다, 지키다 — ______ 보호

32 ______ 사회, 집단 — ______ 사회의, 사회적인

33 ______ 얇은; 얇게 — ______ 두꺼운; 두껍게

34 ______ 자연; 천성 — ______ 자연의; 타고난

DAY 12

5회독 체크

0331

vacation

[veikéiʃən / vəkéiʃən]

명 **방학, 휴가**

I went to Jejudo last winter **vacation**.
나는 지난 겨울 방학에 제주도에 갔었다.

0332

face

[feis]

동 **직면하다** 명 **얼굴**

Bella will **face** the problems and solve them.
Bella는 문제를 직면하고 해결할 것이다.

Did you see the thief's **face**?
너는 도둑의 얼굴을 보았니?

0333

wise

[waiz]

형 **지혜로운, 현명한**

My mom is sweet and **wise**.
나의 엄마는 자상하시고 현명하시다.

0334

wisdom

[wízdəm]

명 **지혜, 현명함**

Books give us information and **wisdom**.
책은 우리에게 정보와 지혜를 준다.

0335

turn

[təːrn]

동 **1 돌다, 돌리다 2 ~이 되다**

Everyone in the room **turns** and looks at me.
방에 있는 모두가 돌아서 나를 본다.

He was so angry that his face **turned** red.
그는 너무 화가 나서 얼굴이 빨개졌다.

0336

happen

[hǽpən]

동 **발생하다, 일어나다**

He pushed the stop button, but nothing **happened**.
그가 정지 버튼을 눌렀지만, 아무 일도 일어나지 않았다.

0337

vegetable

[védʒətəbl]

명 채소

We usually have soup, **vegetables**, and meat for lunch.
우리는 점심으로 주로 국, 채소, 그리고 고기를 먹는다.

0338

cartoon

[kɑːrtúːn]

명 만화

I have drawn **cartoons** for 10 years.
나는 10년 동안 만화를 그려 왔다.

0339

introduce

[ìntrədjúːs]

동 소개하다

Today I'm going to **introduce** my pet, Polly.
오늘 나는 내 애완동물 Polly를 소개할 것이다.

0340

upset

[ʌpsét]

upset - upset

형 속상한 동 속상하게 하다

I didn't know she would be so **upset** because of my words.
나는 그녀가 내 말 때문에 그렇게나 속상해할지 몰랐다.

0341

pretty

[príti]

형 예쁜 부 꽤, 매우

He fell in love with a **pretty** girl.
그는 예쁜 소녀와 사랑에 빠졌다.

I have been **pretty** busy.
나는 꽤 바쁘게 지내 왔다.

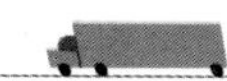

0342

wonder

[wʌ́ndər]

동 [1]궁금해하다 [2]놀라다 명 경이(로운 것)

I **wonder** who else was here last night.
나는 지난밤에 다른 누가 이곳에 있었는지 궁금하다.

Salar de Uyuni is one of the most visited natural **wonders** of South America.
살라르 데 우유니는 방문객이 가장 많은 남아메리카의 자연 경관 중 하나이다.

0343

add

[æd]

동 더하다, 추가하다

Add some salt and sugar.
약간의 소금과 설탕을 추가해라.

0344

addition

[ədíʃən]

명 추가(된 것)

The **addition** of machines improved the system.
기계의 추가가 체계를 개선시켰다.

0345

recycle

[rìːsáikl]

동 재활용하다

We should **recycle** more.
우리는 더 많이 재활용해야 한다.

0346

library

[láibrèri]

명 도서관

The school **library** needs more space for more books.
학교 도서관은 더 많은 책들을 위해 더 많은 공간이 필요하다.

0347

terrible

[térəbl]

형 끔찍한, 심한

Yesterday was a **terrible** day for Molly.
어제는 Molly에게 끔찍한 날이었다.

0348

magazine

[mæ̀gəzíːn]

명 잡지

I read the tip in a **magazine**.
나는 잡지에서 그 조언을 읽었다.

0349

perfect

[pə́ːrfikt]

형 **완벽한**

It is going to be the **perfect** gift for him.
그것은 그에게 완벽한 선물이 될 것이다.

0350

recipe

[résəpi]

명 **조리법**

Can you give me the **recipe** for your tomato soup?
너의 토마토 수프 조리법을 내게 알려 주겠니?

0351

skill

[skil]

명 **기량, 기술**

I don't think my drawing **skills** are good enough.
나는 내 그림 솜씨가 충분히 좋다고 생각하지 않는다.

0352

skillful

[skílfəl]

형 **숙련된, 솜씨 좋은**

Dustin was a **skillful** baseball player.
Dustin은 숙련된 야구 선수였다.

0353

melt

[melt]

동 **녹다, 녹이다**

The snow started to **melt** in the afternoon.
눈은 오후에 녹기 시작했다.

0354

item

[áitəm]

명 **품목, 항목, 물품**

It is the most popular **item** at our restaurant.
그것은 우리 식당에서 가장 인기 있는 품목이다.

0355

refrigerator

[rifrídʒəreitər]

명 냉장고

I put some juice and milk in the **refrigerator**.
나는 냉장고에 주스와 우유를 넣어 놓았다.

0356

accident

[ǽksidənt]

명 [1]사고 [2]우연

You may get into a car **accident**.
당신은 차 사고를 당할지도 모른다.

I met him by **accident**.
나는 그를 우연히 만났다.

0357

accidental

[æ̀ksədéntl]

형 우연한, 돌발적인

The police thinks that the fire was not **accidental**.
경찰은 화재가 우연히 난 것이 아니라고 생각한다.

0358

become

[bikʌ́m]

became - become

동 ~이 되다, ~(해)지다

Here are five tips to **become** a better talker.
여기에 말을 더 잘하는 사람이 되기 위한 다섯 가지 조언이 있다.

0359

station

[stéiʃən]

명 (기차)역, (버스) 정거장

It is across from the train **station**.
그것은 기차역 건너편에 있다.

0360

hard

[hɑːrd]

형 [1]어려운, 힘든 [2]딱딱한 부 열심히

Let's think about things that are **hard** to change.
바꾸기 어려운 것들에 관해 생각해 보자.

The cat is sleeping on a **hard** chair.
고양이가 딱딱한 의자 위에서 자고 있다.

바로 테스트

영어는 우리말로, 우리말은 영어로 쓰세요.

01	hard	16	잡지
02	wonder	17	지혜, 현명함
03	skill	18	냉장고
04	recycle	19	속상한; 속상하게 하다
05	happen	20	조리법
06	cartoon	21	녹다, 녹이다
07	become	22	완벽한
08	accidental	23	돌다, 돌리다; ~이 되다
09	introduce	24	도서관
10	terrible	25	숙련된, 솜씨 좋은
11	add	26	품목, 항목, 물품
12	face	27	사고; 우연
13	pretty	28	방학, 휴가
14	station	29	추가(된 것)
15	wise	30	채소

함께 외우는 어휘 쌍

우리말을 보고 알맞은 단어를 쓰세요.

31 ＿＿＿ 지혜로운, 현명한 — ＿＿＿ 지혜, 현명함

32 ＿＿＿ 더하다, 추가하다 — ＿＿＿ 추가(된 것)

33 ＿＿＿ 기량, 기술 — ＿＿＿ 숙련된, 솜씨 좋은

34 ＿＿＿ 우연 — ＿＿＿ 우연한, 돌발적인

DAY 13

5회독 체크

0361

habit

[hǽbit]

명 버릇, 습관

I want to change my eating **habits**.
나는 내 식습관을 바꾸고 싶다.

0362

restaurant

[réstərənt]

명 식당

There is a new Mexican **restaurant** in town.
시내에 새로운 멕시코 식당이 있다.

0363

lead

[liːd]

led - led

동 이끌다, 안내하다 명 선두, 우세

The teacher **led** students into the classroom.
선생님은 학생들을 교실로 이끌었다.

0364

leader

[líːdər]

명 지도자, 대표

Mr. Anderson was a natural **leader**.
Anderson 씨는 타고난 지도자였다.

0365

begin

[bigín]

began - begun

동 시작하다

The concert **begins** at 7 o'clock.
콘서트는 7시에 시작한다.

0366

grade

[greid]

명 1학년 2등급, 성적

I'm in the second **grade** at Hanguk Middle School.
나는 한국중학교 2학년이다.

I want to get good **grades** in math.
나는 수학에서 좋은 성적을 받고 싶다.

0367

forest

[fɔ́ːrist]

명 숲, 삼림

They found a rock in front of a **forest**.
그들은 숲 앞에서 바위를 발견했다.

0368

wish

[wiʃ]

동 바라다, 원하다 명 바람, 소원

I **wish** you good luck!
나는 네게 행운이 있길 바라!

I hope your **wish** comes true.
나는 네 소원이 이루어지기를 바라.

0369

whole

[houl]

형 전체의 명 전체

He spent the **whole** day with his baby.
그는 그의 아기와 온종일을 보냈다.

0370

nation

[néiʃən]

명 국가, 국민

The president visited many Asian **nations** last month.
대통령은 지난달에 많은 아시아 국가들을 방문했다.

0371

national

[nǽʃənl]

형 국가의, 전국적인, 전 국민의

The eagle is the **national** bird of the US.
독수리는 미국의 국조(國鳥)이다.

0372

international

[ìntərnǽʃənl]

형 국제의, 국제적인

She went to an **international** music festival in Macau.
그녀는 마카오의 국제 음악 축제에 갔다.

0373

company

[kʌ́mpəni]

명 ¹회사 ²함께 있음, 함께 있는 사람들

She worked for a big design **company**.
그녀는 큰 디자인 회사에서 일했다.

I'm glad to have you as **company**.
나는 너와 함께할 수 있어서 기쁘다.

0374

record

동 [rikɔ́:rd]
명 [rékərd]

동 ¹기록하다 ²녹음[녹화]하다 명 ¹기록 ²음반

He **recorded** his life there in his diary.
그는 일기에 그곳에서의 그의 삶을 기록했다.

May I **record** the music in the concert hall?
공연장에서 음악을 녹음해도 될까요?

0375

blow

[blou]
blew - blown

동 ¹불다 ²날려 보내다

A gentle wind **blew** from the west.
산들바람이 서쪽에서 불어왔다.

The wind can **blow** leaves far away.
그 바람은 나뭇잎을 멀리 날려 보낼 수 있다.

0376

candle

[kǽndl]

명 양초

I'll light the **candle**.
내가 양초를 켤게.

0377

complete

[kəmplí:t]

동 완료하다 형 완벽한, 완전한

I have a mission to **complete**.
나는 완료해야 할 임무가 있다.

The meeting yesterday was a **complete** waste of time.
어제 회의는 완전한 시간 낭비였다.

● **completely** 부 완전히, 전적으로

0378

serve

[sə:rv]

동 ¹제공하다 ²일하다, 봉사하다

Sometimes our school **serves** special dishes.
가끔씩 우리 학교는 특별한 식사를 제공한다.

My father has **served** the family for a long time.
나의 아버지는 가족을 위해 오랫동안 일해 오셨다.

0379

advertise

[ǽdvərtàiz]

동 광고하다

What can we do to **advertise** the festival?
우리가 축제를 광고하기 위해 무엇을 할 수 있을까?

0380

advertisement

[æ̀dvərtáizmənt]

명 광고

They lied on the **advertisement**.
그들은 광고에 거짓말을 했다.

0381

fix

[fiks]

동 1수리하다 2정하다, 고정시키다

They **fixed** my bike for free.
그들은 내 자전거를 공짜로 수리해 주었다.

We **fixed** the date of the meeting.
우리는 회의 날짜를 정했다.

0382

stair

[stɛər]

명 계단

You should be careful when you walk up the **stairs**.
계단을 걸어 올라갈 때 너는 조심해야 한다.

0383

hike

[haik]

명 도보 여행[하이킹] 동 도보 여행[하이킹]을 가다

Let's go for a **hike**.
도보 여행을 가자.

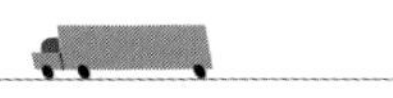

0384

greet

[griːt]

동 맞다, 인사하다, 환영하다

Mr. Johnson **greets** her with a smile.
Johnson 씨는 웃으며 그녀에게 인사한다.

0385

spin

[spin]

spun - spun

동 회전하다, 회전시키다 명 회전

The Earth **spins** around the Sun.
지구는 태양 주변을 회전한다.

0386

alive

[əláiv]

형 [1]살아 있는 [2]활기찬, 생기 있는

My great grandparents are **alive**.
나의 증조부모님은 살아 계신다.

Pictures come **alive** with movement and sounds in the animated movies.
애니메이션 영화에서 움직임과 소리가 더해져서 그림이 생기 있어진다.

0387

dead

[ded]

형 죽은

The elephant was lying **dead**.
코끼리가 죽어서 누워 있었다.

0388

stage

[steidʒ]

명 [1]무대 [2]단계

Who is the man playing the piano on the **stage**?
무대 위에서 피아노를 연주하고 있는 남자는 누구인가요?

The product is still at an early **stage**.
그 제품은 아직 초기 단계이다.

0389

spicy

[spáisi]

형 양념 맛이 강한

Dad's face is getting red because his *ramyeon* is too **spicy**.
라면이 너무 매워서 아빠의 얼굴이 빨개지고 있다.

0390

dessert

[dizə́ːrt]

명 후식

We have a **dessert** like churros.
우리는 추로스 같은 후식을 먹는다.

바로 테스트 < Way to go!

정답 272쪽

영어는 우리말로, 우리말은 영어로 쓰세요.

01 alive
02 advertisement
03 company
04 blow
05 wish
06 fix
07 serve
08 national
09 spin
10 candle
11 restaurant
12 complete
13 lead
14 record
15 habit
16 맞다, 인사하다, 환영하다
17 광고하다
18 숲, 삼림
19 죽은
20 지도자, 대표
21 양념 맛이 강한
22 국제의, 국제적인
23 도보 여행[하이킹](을 가다)
24 계단
25 무대; 단계
26 학년; 등급, 성적
27 전체(의)
28 시작하다
29 국가, 국민
30 후식

함께 외우는 어휘 쌍

우리말을 보고 알맞은 단어를 쓰세요.

31 ______ 이끌다, 안내하다 — ______ 지도자, 대표
32 ______ 국가, 국민 — ______ 국가의, 전 국민의
33 ______ 광고하다 — ______ 광고
34 ______ 살아 있는 — ______ 죽은

DAY 14

5회독 체크

0391

rough

[rʌf]

형 ¹거친 ²대강의, 대략적인 부 거칠게

His hands are hard and **rough**.
그의 손은 딱딱하고 거칠다.

I sent him a **rough** plan of the trip.
나는 그에게 여행의 대략적인 계획을 보내 주었다.

0392

novel

[nάvəl]

명 소설

I like the movie more than the **novel**.
나는 소설보다 영화를 더 좋아한다.

0393

wide

[waid]

형 넓은 부 활짝

The river is very **wide**, so you cannot see the other side!
강이 아주 넓어서 당신은 반대편을 볼 수 없다!

The window was **wide** open.
창문이 활짝 열려 있었다.

0394

narrow

[nǽrou]

형 좁은

We walked down the **narrow** mountain roads.
우리는 좁은 산길을 따라 걸었다.

0395

plate

[pleit]

명 접시

Don't leave any food on the **plate**.
접시 위에 어떤 음식도 남기지 말아라.

0396

fold

[fould]

동 접다, 개키다

Can you show me how to **fold** the paper like that?
종이를 그렇게 접는 방법을 내게 보여 주겠니?

0397

believe

[bilíːv / bəlíːv]

동 [1]믿다 [2]생각하다, 여기다

Max can't **believe** his eyes.
Max는 그의 눈을 믿을 수가 없다.

They **believe** such a small action can change the world.
그들은 그처럼 작은 행동이 세상을 바꿀 수 있다고 생각한다.

0398

century

[séntʃəri]

명 100년, 세기

The stadium was built in the 18th **century**.
그 경기장은 18세기에 지어졌다.

0399

opinion

[əpínjən]

명 의견, 견해

He told me his **opinion** about my report.
그가 내 보고서에 관한 그의 의견을 내게 말해 주었다.

0400

crowd

[kraud]

명 군중, 무리 동 가득 메우다

The cheering from the **crowd** is getting louder.
군중의 환호 소리가 커지고 있다.

Many students **crowded** the hall.
많은 학생들이 복도를 가득 메웠다.

0401

crowded

[kráudid]

형 붐비는, 복잡한

The woman had to get on the **crowded** bus.
그 여자는 붐비는 버스를 타야 했다.

0402

teenager

[tíːnèidʒər]

명 십 대(나이가 13~19세인 사람)

Teenagers can read books and watch movies here.
십 대들은 이곳에서 책을 읽고 영화를 볼 수 있다.

0403

prize

[praiz]

명 상(품)

Did you hear that Jason won first **prize**?
너는 Jason이 1등상을 받았다는 것을 들었니?

0404

later

[léitər]

부 나중에 형 나중의, 뒤의

See you **later**.
나중에 보자.

0405

climb

[klaim]

동 오르다, 올라가다

I have **climbed** to the top of the mountain twice.
나는 그 산의 정상에 두 번 올라 봤다.

0406

receive

[risíːv]

동 받다, 받아들이다

I **received** a letter from my cousin.
나는 사촌으로부터 편지 한 통을 받았다.

0407

survive

[sərváiv]

동 1 살아남다, 생존하다 2 견뎌 내다

You cannot **survive** without water.
당신은 물 없이 생존할 수 없다.

Few animals **survived** the winter.
그 겨울을 견뎌 낸 동물이 거의 없었다.

0408

survival

[sərváivəl]

명 생존

Animals have their own ways of **survival**.
동물에게는 각자의 생존 방식이 있다.

0409

physical

[fízikəl]

형 ¹육체의, 신체의 ²물질의, 물리적인

The **physical** appearance is not the most important thing.
신체적인 외모가 가장 중요한 것은 아니다.

It is necessary to change the **physical** environment.
물리적인 환경을 바꾸는 것이 필요하다.

0410

race

[reis]

명 ¹경주 ²인종 동 경주하다

Many runners from Kenya won **races** in the Olympics.
케냐 출신의 많은 주자들은 올림픽 경주에서 우승했다.

People should care about **race** problems.
사람들은 인종 문제에 관심을 가져야 한다.

0411

safety

[séifti]

명 안전(함)

Be sure to wear a helmet for **safety**.
안전을 위해 반드시 헬멧을 써라.

0412

sentence

[séntəns]

명 ¹문장 ²(형의) 선고, 형 동 (형을) 선고하다

It is good to read even a **sentence** every day.
매일 한 문장이라도 읽는 것이 좋다.

She received a heavy **sentence**.
그녀는 무거운 형을 받았다.

0413

return

[ritə́ːrn]

동 ¹돌아오다[가다] ²돌려주다 명 ¹돌아옴 ²반납

You should **return** home before midnight.
너는 자정 전에는 집에 돌아와야 한다.

I will **return** the books next week.
나는 다음 주에 그 책들을 반납할 것이다.

0414

lift

[lift]

동 들어 올리다

I can't **lift** my leg high enough.
나는 내 다리를 충분히 높게 들어 올릴 수 없다.

0415

classic

[klǽsik]

형 [1]최고 수준의, 일류의 [2]전형적인 명 고전, 명작

It was a **classic** mistake.
그것은 전형적인 실수였다.

1984, written by George Orwell, is a **classic**.
조지 오웰이 쓴 '1984년'은 명작이다.

0416

classical

[klǽsikəl]

형 [1]고전의 [2]클래식 음악의

I'm interested in **classical** ballet.
나는 고전 발레에 관심이 있다.

I listen to **classical** music when I study.
나는 공부할 때 클래식 음악을 듣는다.

0417

reply

[riplái]

동 대답하다, 답장을 보내다 명 대답, 답장

I don't know what to **reply**.
나는 뭐라고 대답할지 모르겠다.

0418

trouble

[trʌ́bl]

명 문제, 곤란

I'm having **trouble** finding the right information.
나는 올바른 정보를 찾는 데 곤란을 겪고 있다.

0419

mistake

[mistéik]

명 실수

Jenny pointed out the **mistake** that Bella made.
Jenny는 Bella가 저지른 실수를 지적했다.

0420

guide

[gaid]

명 안내(인) 동 안내하다

The **guide** led us to the museum.
안내인이 우리를 박물관으로 이끌었다.

You can **guide** visitors.
당신은 방문객들을 안내할 수 있다.

바로 테스트

< Way to go!

정답 273쪽

영어는 우리말로, 우리말은 영어로 쓰세요.

01	narrow	**16**	접다, 개키다
02	rough	**17**	경주(하다); 인종
03	crowded	**18**	안전(함)
04	physical	**19**	문제, 곤란
05	plate	**20**	십 대
06	classic	**21**	넓은; 활짝
07	mistake	**22**	안내(인); 안내하다
08	later	**23**	믿다; 생각하다, 여기다
09	climb	**24**	생존
10	survive	**25**	고전의; 클래식 음악의
11	crowd	**26**	들어 올리다
12	return	**27**	받다, 받아들이다
13	reply	**28**	상(품)
14	sentence	**29**	소설
15	opinion	**30**	100년, 세기

함께 외우는 어휘 쌍

우리말을 보고 알맞은 단어를 쓰세요.

31		넓은	—		좁은
32		군중; 가득 메우다	—		붐비는, 복잡한
33		살아남다, 생존하다	—		생존
34		최고 수준의	—		클래식 음악의

DAY 15

5회독 체크

0421

coach

[koutʃ]

동 지도하다 명 (스포츠 팀의) 코치

Mr. Evans has **coached** hundreds of baseball players.
Evans 씨는 수백 명의 야구 선수들을 지도해 왔다.

He is my new badminton **coach**.
그는 나의 새로운 배드민턴 코치이다.

0422

tour

[tuər]

동 관광하다, 여행하다 명 관광, 여행

After we **toured** Madrid, we went to Seville.
마드리드를 여행한 뒤에 우리는 세빌로 갔다.

0423

tourist

[túərist]

명 관광객, 여행객

Italy is loved by lots of **tourists**.
이탈리아는 많은 관광객들에게 사랑받는다.

0424

quickly

[kwíkli]

부 빨리, 곧

Puppies grow very **quickly**.
강아지들은 아주 빨리 큰다.

0425

capital

[kǽpətl]

명 1수도 2자금, 자본 3대문자

Do you know what the **capital** of Peru is?
너는 페루의 수도가 어디인지 아니?

We need more **capital** for building a bridge.
우리는 다리를 짓기 위해 더 많은 자금이 필요하다.

0426

master

[mǽstər]

명 1달인 2주인 동 ~을 완전히 익히다

Mr. Hong is a **master** of language.
홍 선생님은 언어의 달인이다.

The dog is following his **master**.
그 개는 주인을 따라가고 있다.

0427

fit

[fit]

fitted/fit-fitted/fit

동 맞다, 어울리게 하다 형 [1]알맞은 [2]건강한

I think the jacket doesn't **fit** me.
나는 그 재킷이 나에게 맞지 않는다고 생각한다.

I exercise every day to stay **fit**.
나는 건강하게 지내기 위해 매일 운동한다.

0428

planet

[plǽnit]

명 행성

Mars is the second closest **planet** to Earth.
화성은 지구와 두 번째로 가까운 행성이다.

0429

cell

[sel]

명 세포

Viruses can only live inside the **cells** of other living bodies.
바이러스는 오직 다른 생명체의 세포 안에서만 살 수 있다.

0430

impress

[imprés]

동 깊은 인상을 주다, 감명을 주다

Its size and unique design **impressed** me.
그것의 크기와 독특한 디자인은 내게 깊은 인상을 주었다.

0431

impression

[impréʃən]

명 인상, 감명

What's your first **impression** of him?
그에 대한 네 첫인상이 어떠니?

0432

impressive

[imprésiv]

형 인상적인, 인상 깊은

The peacock's feathers are **impressive**.
공작의 깃털이 인상적이다.

0433

explore

[ikspl5ːr]

동 탐사하다, 탐험하다

Explore the jungle in Sumatra.
수마트라에서 정글을 탐험하라.

0434

cave

[keiv]

명 동굴

He found a little boy in the **cave**.
그는 동굴에서 어린 소년을 발견했다.

0435

calm

[kɑːm]

형 침착한, 차분한

I need to keep **calm** and focus on baseball.
나는 침착해야 하고 야구에 집중해야 한다.

0436

someday

[sʌ́mdei]

부 언젠가, 훗날

I want to be a writer **someday**.
나는 언젠가 작가가 되고 싶다.

0437

power

[páuər]

명 1힘 2권력 동 동력을 공급하다

I didn't know that my words could have such **power**.
나는 나의 말들이 그러한 힘을 가질 수 있는지 몰랐다.

Trash **powers** the green bus.
쓰레기는 친환경 버스에 동력을 공급한다.

0438

powerful

[páuərfəl]

형 강력한, 강렬한

The body movements are so **powerful** that the dancers need to train for many years.
몸동작이 너무 강렬해서 무용수들은 수년간 훈련을 해야 한다.

0439

review

[rivjúː]

동 [1]복습하다 [2]검토하다 명 [1]복습 [2]검토

I'm planning to **review** the math lessons every day.
나는 매일 수학 수업을 복습하려고 계획 중이다.

He has to **review** every detail.
그는 모든 세부 사항을 검토해야 한다.

0440

spirit

[spírit]

명 정신, 영혼

Koreans have believed evil **spirits** go away when a rooster crows.
한국인들은 수탉이 울면 사악한 영혼이 가 버린다고 여겨 왔다.

0441

flour

[fláuər]

명 밀가루

I need some **flour** to bake bread.
나는 빵을 굽기 위해 밀가루가 좀 필요하다.

0442

harm

[hɑːrm]

명 해, 손해 동 해를 끼치다

This spider does no **harm** to people.
이 거미는 사람에게 해를 끼치지 않는다.

0443

harmful

[hɑ́ːrmfəl]

형 해로운

Plastic bottles are **harmful** to birds, fish, and other wildlife.
플라스틱 병은 새, 물고기, 그리고 다른 야생 동물에게 해롭다.

0444

skip

[skip]

동 건너뛰다, 거르다

We often **skip** breakfast, but it is an important meal.
우리는 자주 아침 식사를 거르지만, 그것은 중요한 끼니이다.

0445

degree

[digríː]

명 [1](각도, 온도 단위의) 도 [2]정도

Heat the oil to 230 **degrees**.
기름을 230도까지 가열해라.

You need a high **degree** of skill for the job.
너는 그 일을 위해 고도의 기술이 필요하다.

0446

symbol

[símbəl]

명 상징, 부호, 기호

In Korea, bats are **symbols** of luck and a long life.
한국에서는 박쥐가 운과 장수의 상징이다.

0447

hang

[hæŋ]

hung - hung

동 걸다, 매달다

Can I **hang** my hat on the wall?
내가 내 모자를 벽에 걸어도 되니?

0448

search

[səːrtʃ]

동 찾다, 검색하다 명 찾기, 검색

I usually **search** for information on the Internet.
나는 주로 인터넷에서 정보를 찾는다.

0449

chat

[tʃæt]

동 수다를 떨다 명 수다

If you go there, you will see many students **chatting**.
만약 당신이 그곳에 가면 많은 학생들이 수다를 떨고 있는 것을 보게 될 것이다.

0450

stretch

[stretʃ]

동 늘이다, 펴다

Slowly **stretch** your legs.
당신의 다리를 천천히 펴라.

< Way to go!

정답 273쪽

영어는 우리말로, 우리말은 영어로 쓰세요.

01 fit
02 degree
03 master
04 harm
05 impress
06 search
07 planet
08 flour
09 review
10 explore
11 power
12 tour
13 cell
14 capital
15 coach
16 인상, 감명
17 상징, 부호, 기호
18 언젠가, 훗날
19 정신, 영혼
20 침착한, 차분한
21 걸다, 매달다
22 관광객, 여행객
23 강력한, 강렬한
24 늘이다, 펴다
25 동굴
26 인상적인, 인상 깊은
27 빨리, 곧
28 해로운
29 수다(를 떨다)
30 건너뛰다, 거르다

함께 외우는 어휘 쌍

우리말을 보고 알맞은 단어를 쓰세요.

31 ______ 관광(하다) — ______ 관광객, 여행객
32 ______ 깊은 인상을 주다 — ______ 인상적인, 인상 깊은
33 ______ 힘; 권력 — ______ 강력한, 강렬한
34 ______ 해(를 끼치다) — ______ 해로운

Idioms in Use DAY 11-15

DAY 11 0317

a piece of

한 조각의, 한 개의

Would you like **a piece of** bread and a glass of milk?
빵 한 조각과 우유 한 잔을 드시겠어요?

DAY 12 0336

happen to

우연히 ~하다

Sometimes she **happened to** hear people's phone calls.
가끔씩 그녀는 사람들의 전화 통화를 우연히 들었다.

DAY 12 0342

no wonder

~은 당연하다

No wonder she is mad at you.
그녀가 네게 화가 난 것은 당연하다.

DAY 12 0344

in addition

게다가

In addition, Mars also has four seasons.
게다가 화성에도 사계절이 있다.

DAY 14 0401

be crowded with

~로 붐비다

The market **is crowded with** people.
시장은 사람들로 붐빈다.

Crossword Puzzle

정답 273쪽

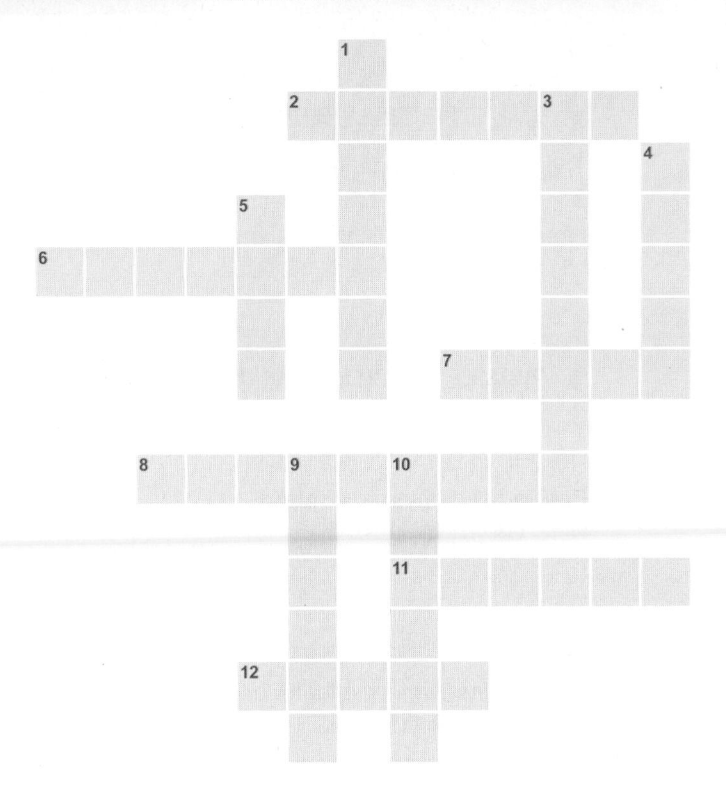

➲ ACROSS

2 재활용하다
6 실수
7 학년; 등급, 성적
8 소개하다
11 복습(하다); 검토(하다)
12 (돈을) 쓰다; (시간을) 보내다

➲ DOWN

1 믿다; 생각하다, 여기다
3 언어
4 제공하다; 일하다, 봉사하다
5 침착한, 차분한
9 조리법
10 ~ 동안

DAY 16

5회독 체크

0451

net

[net]

명 [1]망사, 그물, 네트 [2]인터넷(the Net)

The fish could not get out of the **net**.
물고기는 그물에서 빠져나올 수 없었다.

I found some useful information through the **Net**.
나는 인터넷으로 몇몇 유용한 정보를 찾았다.

0452

contact

[kάntækt]

동 [1]연락하다 [2]접촉하다 명 [1]연락 [2]접촉

You'd better **contact** the manager.
너는 관리자와 연락해 보는 것이 낫겠다.

Babies need physical **contact**.
아기는 신체적인 접촉이 필요하다.

0453

instrument

[ínstrəmənt]

명 [1]기구, 도구 [2]악기

Turn the **instrument** off after use.
사용한 뒤에 기기의 전원을 꺼라.

You need to know how to play an **instrument** to join our club.
네가 우리 동아리에 가입하려면 악기 연주하는 법을 알아야 한다.

0454

member

[mémbər]

명 구성원, 회원

My club **members** made the poster together.
우리 동아리의 회원들이 포스터를 함께 만들었다.

0455

treasure

[tréʒər]

명 보물

I'll tell you who stole the **treasure**.
누가 보물을 훔쳐 갔는지 제가 여러분께 말씀드릴 것입니다.

0456

submarine

[sʌ̀bməríːn]

명 잠수함

The old **submarine** is very slow.
그 낡은 잠수함은 아주 느리다.

DAY 16

0457

dust

[dʌst]

명 먼지 동 먼지를 털다

There is a lot of fine **dust** in the air today.
오늘은 대기 중에 미세 먼지가 많다.

0458

edit

[édit]

동 편집하다

He **edits** a dictionary.
그는 사전을 편집한다.

0459

grass

[græs]

명 풀, 잔디

Hills are covered with soft green **grass**.
언덕은 부드러운 초록색 잔디로 덮여 있다.

0460

announce

[ənáuns]

동 발표하다, 알리다

I am happy to **announce** that he passed the exam.
저는 그가 시험에 합격했다는 것을 알리게 되어 기쁩니다.

0461

announcement

[ənáunsmənt]

명 발표, 소식, 알림

We'll make an **announcement** about a missing child.
우리는 실종 아동에 관해 발표를 할 것입니다.

0462

sale

[seil]

명 1판매 2할인 판매

I have a backpack for **sale**.
나에게는 판매할 배낭이 있다.

The cookbook is on **sale** now.
그 요리책은 지금 할인 판매 중이다.

0463

booth

[buːθ]

명 (칸막이를 한) 작은 공간, 부스

I was standing in front of the ticket **booth**.
나는 매표소 앞에 서 있었다.

0464

loose

[luːs]

형 풀린, 헐거운

When you ride a bike, you shouldn't wear **loose** clothes.
자전거를 탈 때 당신은 헐렁한 옷을 입어서는 안 된다.

0465

tight

[tait]

형 단단한, 꽉 조이는 부 단단히

The shirt is too **tight** for me.
그 셔츠는 내게 너무 꽉 조인다.

0466

cafeteria

[kæ̀fətíəriə]

명 구내식당

The new school **cafeteria** was built five months ago.
새 학교 식당이 5개월 전에 지어졌다.

0467

mount

[maunt]

동 올라가다 명 산(약어: Mt.)

I **mounted** my bike and rode on.
나는 자전거에 올라타고 갔다.

The highest mountain in the world is **Mount** Everest.
세상에서 가장 높은 산은 에베레스트산이다.

0468

polar

[póulər]

형 극지의, 북극[남극]의

Roald Amundsen is one of the most famous **polar** explorers.
로알 아문센은 가장 유명한 극지 탐험가 중 한 명이다.

0469

slice

[slais]

명 (음식을 얇게 썬) 조각 동 (얇게) 썰다

I ate a **slice** of pizza for lunch.
나는 점심으로 피자 한 조각을 먹었다.

Wash onions and **slice** them.
양파를 씻어서 얇게 썰어라.

0470

tire

[taiər]

동 피곤해지다, 피곤하게 하다 명 (자동차 등의) 타이어

My eyes began to **tire**.
내 눈이 피곤해지기 시작했다.

My father is changing a flat **tire**.
나의 아버지가 바람 빠진 타이어를 교체하고 계신다.

0471

pose

[pouz]

동 자세를 취하다 명 자세

Do not **pose** with or near wild animals.
야생 동물과 함께 또는 가까이에서 (사진 촬영을 위해) 자세를 취하지 마라.

0472

position

[pəzíʃən]

명 위치, 자세

Hold that **position** for three seconds.
그 자세를 3초간 유지해라.

0473

whale

[hweil]

명 고래

Whales can't stay under the water all the time.
고래는 항상 물속에 머무를 수는 없다.

0474

course

[kɔːrs]

명 [1]강좌, 강의 [2]경로

I took a Spanish **course** last month.
나는 지난달에 스페인어 강좌를 들었다.

The plane had to change **course** because of strong wind.
비행기는 강풍으로 인해 경로를 바꿔야 했다.

0475

newspaper

[njú:zpèipər]

명 신문(지)

People learned the truth about Joseph from **newspapers**.
사람들은 신문을 통해 Joseph에 관한 진실을 알게 되었다.

0476

mind

[maind]

명 마음, 생각 동 상관하다, 언짢아하다

If you can change your **mind**, you can change your life.
만약 당신이 생각을 바꿀 수 있다면 당신은 삶을 바꿀 수 있다.

I don't **mind** what people say about me.
나는 사람들이 나에 대해 뭐라고 말하든 상관하지 않는다.

0477

war

[wɔ:r]

명 전쟁

I felt sorry that the **war** hasn't ended yet.
나는 전쟁이 아직 끝나지 않았다는 것에 유감을 느꼈다.

0478

soldier

[sóuldʒər]

명 군인, 병사

He was a **soldier** during the Korean War.
그는 한국전쟁 동안에 군인이었다.

0479

recent

[rí:snt]

형 최근의

I've been very busy in **recent** years.
나는 최근 몇 년 동안 무척 바쁘게 지내 왔다.

0480

recently

[rí:sntli]

부 최근에

Jack and I haven't seen a movie **recently**.
Jack과 나는 최근에 영화를 본 적이 없다.

< Way to go!

정답 274쪽

영어는 우리말로, 우리말은 영어로 쓰세요.

01 net
02 recent
03 pose
04 tight
05 tire
06 booth
07 grass
08 slice
09 mind
10 instrument
11 announcement
12 cafeteria
13 sale
14 contact
15 war
16 발표하다, 알리다
17 잠수함
18 풀린, 헐거운
19 구성원, 회원
20 올라가다; 산
21 신문(지)
22 위치, 자세
23 강좌, 강의; 경로
24 고래
25 보물
26 먼지(를 털다)
27 최근에
28 군인, 병사
29 극지의, 북극[남극]의
30 편집하다

함께 외우는 어휘 쌍

우리말을 보고 알맞은 단어를 쓰세요.

31 ______ 발표하다, 알리다 — ______ 발표, 소식, 알림
32 ______ 풀린, 헐거운 — ______ 단단한, 꽉 조이는
33 ______ 자세(를 취하다) — ______ 위치, 자세
34 ______ 최근의 — ______ 최근에

DAY 17

5회독 체크

0481

state

[steit]

명 [1]상태 [2]국가, 주(州) 동 진술하다

The house was in a bad **state**.
그 집은 상태가 나빴다.

They **stated** that the project would be completed by next month.
그들은 그 프로젝트가 다음 달까지 완료될 것이라고 진술했다.

0482

build

[bild]

built-built

동 짓다, 건설하다

I'm planning to **build** a house.
나는 집을 지으려고 계획 중이다.

0483

die

[dai]

동 죽다

Icarus fell into the sea and **died**.
이카로스는 바다에 떨어져 죽었다.

0484

human

[hjú:mən]

명 인간, 사람 형 인간의, 사람의

The clock is the greatest invention in **human** history.
시계는 인류 역사상 가장 위대한 발명품이다.

0485

awesome

[ɔ́:səm]

형 경탄할 만한, 엄청난

Last night my family had an **awesome** time.
지난밤에 우리 가족은 멋진 시간을 보냈다.

0486

awful

[ɔ́:fəl]

형 끔찍한, 지독한

I felt **awful** when he lied to me.
그가 내게 거짓말을 했을 때 나는 끔찍한 기분이 들었다.

0487

community

[kəmjúːnəti]

명 공동체, 지역 사회

We can help others and make our **community** better.
우리는 다른 사람들을 도와 우리 지역 사회가 더 나아지게 만들 수 있다.

0488

control

[kəntróul]

동 [1]조절하다 [2]통제하다, 지배하다 명 [1]조절 [2]통제, 지배

She tried to **control** the room temperature.
그녀는 방의 온도를 조절하려 했다.

The king lost **control** of the country.
왕은 나라에 대한 지배권을 잃었다.

0489

chance

[tʃæns]

명 기회, 가능성

I don't want to miss the **chance**.
나는 그 기회를 놓치고 싶지 않다.

0490

insect

[ínsekt]

명 곤충

The flower smells very bad, but **insects** love the smell.
그 꽃에서는 매우 안 좋은 냄새가 나지만, 곤충들은 그 냄새를 아주 좋아한다.

0491

form

[fɔːrm]

동 형성되다, 형성시키다 명 [1]형태 [2]서식

The water floated in the air and **formed** clouds.
물이 대기 중에 떠다니다 구름을 형성했다.

I filled out a **form**.
나는 서식을 작성했다.

0492

college

[kálidʒ]

명 대학

I studied history in **college**.
나는 대학에서 역사를 공부했다.

0493

blend

[blend]

동 섞이다, 섞다 명 혼합

Water and oil don't **blend**.
물과 기름은 섞이지 않는다.

0494

blender

[bléndər]

명 분쇄기, 믹서

Put the pineapple pieces into the **blender**.
파인애플 조각을 믹서에 넣어라.

0495

mark

[mɑːrk]

동 표시하다 명 표시

You should read the pages that I **marked**.
너는 내가 표시해 놓은 페이지들을 읽어야 한다.

0496

modern

[mάdərn]

형 현대의, 현대적인

There he built small, **modern** *hanoks* for the people.
그곳에 그는 사람들을 위해 작고 현대적인 한옥을 지었다.

0497

seed

[siːd]

명 씨앗

A pine cone has the **seeds** of the pine tree.
솔방울에는 소나무의 씨앗이 들어 있다.

0498

factory

[fǽktəri]

명 공장

Nobody could hear her because of the loud machines in the **factory**.
공장의 시끄러운 기계들 때문에 아무도 그녀의 말을 들을 수 없었다.

0499

bill

[bil]

명 [1]청구서 [2]지폐

You have to pay these **bills** by tomorrow.
너는 내일까지 이 청구서들을 납부해야 한다.

There is a picture of an eagle on US **bills**.
미국 지폐에는 독수리 그림이 있다.

0500

garage

[gərɑ́ːdʒ]

명 차고, 주차장

He parked his car in the **garage**.
그는 차를 차고에 주차했다.

0501

either

[íːðər / áiðər]

부 (부정문에서) ~도 대 (둘 중) 어느 하나

She didn't have lunch, and he didn't **either**.
그녀는 점심을 먹지 않았는데, 그도 마찬가지였다.

There is milk and orange juice. You can have **either**.
우유와 오렌지 주스가 있어. 너는 둘 중 어느 것을 마셔도 돼.

0502

neither

[níːðər / náiðər]

부 (부정문을 만들며) ~도 대 (둘 중) 어느 것도 아닌

Tom didn't have any money, and **neither** did I.
Tom은 돈이 전혀 없었고, 나도 마찬가지였다.

Neither of us wanted to go out.
우리 둘 중 어느 누구도 나가고 싶지 않았다.

0503

useful

[júːsfəl]

형 유용한, 쓸모 있는

Here is a **useful** tip for you.
여기에 당신을 위한 유용한 조언이 있다.

0504

angry

[ǽŋgri]

형 화난, 성난

When I am **angry**, I eat spicy food.
나는 화가 났을 때 매운 음식을 먹는다.

0505

seem

[siːm]

동 ~처럼 보이다, ~인 것 같다

She **seems** like a kind person.
그녀는 친절한 사람처럼 보인다.

0506

horror

[hɔ́ːrər / hɑ́rər]

명 공포

I like **horror** movies very much.
나는 공포 영화를 아주 많이 좋아한다.

0507

horrible

[hɔ́ːrəbl / hɔ́rəbl]

형 끔찍한, 무시무시한

Life back then seemed so hard and **horrible**.
그때의 삶은 무척이나 힘들고 끔찍한 것 같았다.

0508

spaceship

[spéisʃìp]

명 우주선

The **spaceship** finally landed.
우주선이 마침내 착륙했다.

0509

touch

[tʌtʃ]

동 1만지다, 접촉하다 2감동시키다 명 접촉

Every day you use your hands to **touch** different things.
매일 당신은 다양한 물건을 만지기 위해 손을 사용한다.

His story really **touched** me.
그의 이야기는 나를 무척 감동시켰다.

0510

type

[taip]

명 형태, 유형

What **type** of traveler are you?
당신은 어떠한 유형의 여행자인가?

바로 테스트

< Way to go!

정답 274쪽

영어는 우리말로, 우리말은 영어로 쓰세요.

01	either	16	섞이다, 섞다; 혼합
02	horrible	17	(부정문을 만들며) ~도
03	state	18	공포
04	form	19	경탄할 만한, 엄청난
05	garage	20	유용한, 쓸모 있는
06	college	21	죽다
07	type	22	짓다, 건설하다
08	seem	23	인간(의), 사람(의)
09	mark	24	공동체, 지역 사회
10	insect	25	기회, 가능성
11	blender	26	우주선
12	control	27	씨앗
13	factory	28	현대의, 현대적인
14	awful	29	청구서; 지폐
15	touch	30	화난, 성난

함께 외우는 어휘 쌍

우리말을 보고 알맞은 단어를 쓰세요.

31		경탄할 만한	—		끔찍한, 지독한
32		섞(이)다; 혼합	—		분쇄기, 믹서
33		(둘 중) 어느 하나	—		(둘 중) 어느 것도 아닌
34		공포	—		끔찍한, 무시무시한

DAY 18

5회독 체크

0511

several

[sévərəl]

형 몇몇의

Did you see **several** students playing music at the main gate when you came to school today?
여러분은 오늘 학교에 올 때 정문에서 음악을 연주하고 있는 몇몇 학생들을 보았나요?

0512

address

명 [ədrés / ǽdres]
동 [ədrés]

명 [1]주소 [2]연설 동 [1]주소를 쓰다 [2]연설하다

May I ask your email **address**?
당신의 이메일 주소를 여쭤봐도 될까요?

The president gave an **address** last night.
대통령은 지난밤에 연설을 했다.

0513

excite

[iksáit]

동 흥분시키다, 들뜨게 만들다

Don't **excite** the patient.
환자를 흥분시키지 마라.

0514

excited

[iksáitid]

형 신이 난, 흥분한

I'm **excited** to ride a roller coaster!
나는 롤러코스터를 타게 되어 신이 난다!

0515

exciting

[iksáitiŋ]

형 신나는, 흥분시키는

Let's make a fun and **exciting** school.
재미있고 신나는 학교를 만들자.

0516

campaign

[kæmpéin]

명 운동[캠페인] 동 운동[캠페인]을 벌이다

My club is going to hold a green **campaign** next Friday.
나의 동아리는 다음 주 금요일에 친환경 캠페인을 벌일 것이다.

0517

coin

[kɔin]

명 **동전**

Can you guess which hand holds a **coin**?
너는 어느 손에 동전이 있는지 알아맞힐 수 있니?

0518

goods

[gudz]

명 **상품, 물품**

I want to pick up popular Korean **goods** for my sister.
나는 내 여동생을 위해 인기 있는 한국 상품을 고르고 싶다.

0519

main

[mein]

형 **주요한**

The **main** event begins the next day.
주요 행사는 그 다음 날 시작한다.

◎ **mainly** 부 주로, 대부분

0520

rise

[raiz]
rose - risen

동 **오르다, 올라가다** 명 **증가, 상승**

The temperature of the earth will **rise** six degrees in a short time.
지구의 온도는 얼마 안 가서 6도 올라갈 것이다.

0521

bitter

[bítə*r*]

형 **[1](맛이) 쓴 [2]격렬한**

This coffee tastes so **bitter**.
이 커피는 무척 쓴 맛이 난다.

There was a **bitter** competition between them.
그들 사이에 격렬한 경쟁이 있었다.

0522

sweet

[swiːt]

형 **[1]달콤한 [2]다정한** 명 **달콤한 것**

A **sweet** smell comes from Ms. Gray's bakery.
달콤한 냄새가 Gray 부인의 빵집에서 난다.

My homeroom teacher is very kind and **sweet**.
나의 담임 선생님은 무척 친절하시고 다정하시다.

0523

balance

[bǽləns]

명 균형 동 균형을 잡다

You should keep your **balance** when you ride a bike.
네가 자전거를 탈 때에는 균형을 유지해야 한다.

0524

pity

[píti]

명 연민, 동정, 유감

I felt **pity** for the poor children.
나는 가난한 아이들에게 연민을 느꼈다.

0525

proverb

[prάvəːrb]

명 속담, 격언

They have an old weather **proverb**, "When a pine cone closes up, rain is on the way."
그들에게는 '솔방울이 오므라들면 비가 오려는 것이다.'라는 오래된 날씨 속담이 있다.

0526

technology

[teknάlədʒi]

명 (과학) 기술

Modern **technologies** have caused many changes in our lives so far.
현대의 과학 기술은 지금까지 우리의 삶에 많은 변화를 일으켰다.

0527

global

[glóubəl]

형 전 세계의, 전 지구의

The video was about **global** warming.
그 영상은 지구 온난화에 관한 것이었다.

0528

sight

[sait]

명 1시력, 시야 2광경

Eagles have very good **sight**.
독수리는 시력이 아주 좋다.

I was surprised at the **sight**.
나는 그 광경에 놀랐다.

0529

health

[helθ]

명 건강(한 상태)

Smartphones can cause **health** problems.
스마트폰은 건강 문제를 일으킬 수 있다.

0530

healthy

[hélθi]

형 건강한, 건강에 좋은

We are looking for someone who is **healthy**.
우리는 건강한 사람을 찾고 있다.

0531

disease

[dizí:z]

명 병, 질병

A cold is a common **disease** in winter.
감기는 겨울에 흔한 질병이다.

0532

storm

[stɔ:rm]

명 폭풍(우)

There is going to be a heavy **storm** this afternoon.
오늘 오후에 거센 폭풍이 칠 것이다.

0533

straw

[strɔ:]

명 1(밀)짚 2빨대

The farmer wore a **straw** hat.
농부는 밀짚모자를 썼다.

A baby drank some juice with a **straw**.
아기가 빨대로 주스를 마셨다.

0534

burn

[bə:rn]

burned/burnt -burned/burnt

동 1(불)타다 2화상을 입다 명 화상

We smelled something **burning**.
우리는 무언가가 타고 있는 냄새를 맡았다.

He **burned** his finger in hot water.
그는 뜨거운 물에 손가락을 데었다.

0535

regular

[régjulər]

형 규칙적인, 정기적인

Regular exercise is good for your health.
규칙적인 운동은 당신의 건강에 좋다.

0536

catch

[kætʃ]

caught - caught

동 [1]잡다 [2](시간을 맞춰) 타다

My little brother **caught** a ball.
내 남동생이 공을 잡았다.

I was in a hurry to **catch** a train.
나는 기차를 타기 위해 서둘렀다.

0537

miss

[mis]

동 [1]놓치다 [2]그리워하다

If I am late, I will **miss** the train.
만약 내가 늦는다면 나는 기차를 놓칠 것이다.

I am going to **miss** her so much.
나는 그녀가 아주 많이 그리울 것이다.

0538

flood

[flʌd]

명 홍수 동 [1]물에 잠기다 [2]범람하다

Did you watch the news about the **flood**?
너는 홍수에 관한 뉴스를 보았니?

Buildings and bridges were **flooded**.
건물들과 다리들이 물에 잠겼다.

0539

effort

[éfərt]

명 노력, 수고

Robinson's **effort** moved his teammates.
Robinson의 노력이 그의 팀 동료들을 감동시켰다.

0540

fault

[fɔːlt]

명 [1]잘못 [2]단점, 결함

It was my **fault**.
그것은 내 잘못이었다.

Nothing is easier than **fault** finding.
단점을 찾는 일보다 더 쉬운 일은 없다.

바로 테스트 < Way to go!

정답 274쪽

영어는 우리말로, 우리말은 영어로 쓰세요.

01 rise
02 sweet
03 healthy
04 exciting
05 burn
06 miss
07 effort
08 global
09 disease
10 excite
11 campaign
12 technology
13 sight
14 flood
15 main
16 (밀)짚; 빨대
17 몇몇의
18 규칙적인, 정기적인
19 연민, 동정, 유감
20 동전
21 주소(를 쓰다); 연설(하다)
22 상품, 물품
23 (맛이) 쓴; 격렬한
24 신이 난, 흥분한
25 건강(한 상태)
26 잡다; (시간을 맞춰) 타다
27 속담, 격언
28 균형(을 잡다)
29 폭풍(우)
30 잘못; 단점, 결함

함께 외우는 어휘 쌍

우리말을 보고 알맞은 단어를 쓰세요.

31 ______ 신이 난, 흥분한 — ______ 신나는, 흥분시키는
32 ______ (맛이) 쓴 — ______ 달콤한
33 ______ 건강(한 상태) — ______ 건강한, 건강에 좋은
34 ______ 잡다 — ______ 놓치다

DAY 19

5회독 체크

0541

flight

[flait]

명 [1]비행, 여행 [2]항공편, 항공기

After a four-hour **flight**, I arrived at the airport.
4시간의 비행을 하고 난 뒤에 나는 공항에 도착했다.

Your **flight** leaves in 30 minutes.
당신의 비행기는 30분 뒤에 출발한다.

0542

ghost

[goust]

명 유령

Do you think that there are **ghosts**?
너는 유령이 있다고 생각하니?

0543

expensive

[ikspénsiv]

형 비싼, 돈이 많이 드는

I like the shirt, but it's **expensive** for me.
나는 그 셔츠가 마음에 들지만 그것은 내게 비싸다.

0544

cheap

[tʃiːp]

형 값이 싼, 돈이 적게 드는

Planting trees in the desert is not **cheap**.
사막에 나무를 심는 것은 돈이 적게 들지 않는다.

0545

divide

[diváid]

동 나뉘다, 나누다

Let's **divide** this cake into four pieces.
이 케이크를 네 조각으로 나누자.

0546

memory

[méməri]

명 기억(력)

Ms. Cooper has lost her **memory**.
Cooper 부인은 기억을 잃었다.

0547

charity

[tʃǽrəti]

명 자선 (단체)

She sent all her savings to the **charity**.
그녀는 자신의 저축액 전부를 자선 단체에 보냈다.

0548

bar

[bɑːr]

명 [1](특정 음식이나 음료를 파는) 전문점 [2]술집 [3]막대

Why don't we go to the sandwich **bar**?
우리가 샌드위치 전문점에 가는 게 어떠니?

I ate a **bar** of chocolate.
나는 초콜릿바 하나를 먹었다.

0549

remember

[rimémbər]

동 기억하다

I can't **remember** where I parked my car.
나는 내 차를 어디에 주차했는지 기억이 나지 않는다.

0550

forget

[fərgét]

forgot - forgotten

동 잊다, 잊어버리다

He **forgot** his father's warning.
그는 아버지의 경고를 잊어버렸다.

0551

favor

[féivər]

명 호의, 부탁

Can you do me a **favor**?
부탁 좀 들어주겠니?

0552

smoke

[smouk]

명 연기 동 담배를 피우다

The **smoke** doesn't stay long inside the *ger*.
연기는 게르 안에 오래 머물지 않는다.

Don't **smoke** here.
이곳에서 담배를 피우지 마시오.

0553

pain

[pein]

명 고통, 통증

Too much use of your smartphone can cause neck **pain**.
스마트폰의 과다한 사용은 목 통증을 유발할 수 있다.

0554

grocery

[gróusəri]

명 식료품 (가게)

Go straight two blocks then you will see a **grocery** store.
두 블록을 직진하면 식료품 가게가 보일 거예요.

0555

manner

[mǽnər]

명 [1]예절, 예의 [2]방법, 방식

It is bad **manners** to say so.
그렇게 말하는 것은 결례이다.

You have to solve the problem in a fair **manner**.
당신은 정당한 방식으로 문제를 해결해야 한다.

0556

yet

[jet]

부 아직 접 그렇지만

I haven't had lunch **yet**.
나는 아직 점심을 안 먹었다.

She was a thief, **yet** many people respected her.
그녀는 도둑이었지만, 많은 사람들이 그녀를 존경했다.

0557

inform

[infɔ́ːrm]

동 알리다, 통지하다

I wrote to **inform** my parents of my decision.
나는 부모님께 나의 결정을 알려 드리기 위해 편지를 썼다.

0558

information

[ìnfərméiʃən]

명 정보

Visit the website for more **information**.
더 많은 정보를 위해 웹 사이트를 방문하십시오.

0559

background

[bǽkgràund]

명 배경, 바탕

She wanted to marry someone who has a similar **background** to herself.
그녀는 자신과 비슷한 배경을 가진 사람과 결혼하고 싶었다.

0560

couple

[kʌ́pl]

명 1두 개, 두 사람 2쌍, 커플

I have a **couple** of questions.
나는 질문이 두 개 있다.

The **couple** didn't look at each other.
그 커플은 서로를 쳐다보지 않았다.

0561

increase

[inkríːs]

동 증가하다 명 증가

When you look down at your smartphone, the pain in your neck **increases**.
당신이 스마트폰을 내려다 볼 때 목의 통증은 증가한다.

0562

distance

[dístəns]

명 거리, 간격

The **distance** between Seoul and Busan is about 300 kilometers.
서울과 부산 사이의 거리는 약 300킬로미터이다.

0563

object

[ɑ́bdʒikt]

명 1물건, 물체 2목적, 목표

He used thrown-away **objects** to make artwork.
그는 예술 작품을 만들기 위해 버려진 물건을 사용했다.

His only **object** in life is to become a great baseball player.
그의 유일한 삶의 목표는 훌륭한 야구 선수가 되는 것이다.

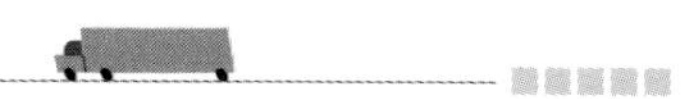

0564

honor

[ɑ́nər]

명 명예, 영광 동 존경을 표하다

It is a great **honor** to meet you.
당신을 만나게 되어 무척 영광입니다.

To **honor** her, they awarded a medal to her.
그녀에게 존경을 표하기 위해 그들은 그녀에게 메달을 수여했다.

0565

therefore

[ðέərfɔ̀ːr]

부 그러므로

I think; **therefore** I am.
나는 생각한다, 그러므로 나는 존재한다.

0566

able

[éibl]

형 ~할 수 있는

No one has ever been **able** to answer the questions.
아무도 그 질문들에 답할 수 있었던 적이 없다.

0567

bow

[bau]

동 (허리를 굽혀) 절하다 명 절

Korean people **bow** to say hi.
한국 사람들은 인사하기 위해 허리를 굽혀 절한다.

0568

differ

[dífər]

동 다르다

People **differ** in many ways.
사람들은 많은 면에서 다르다.

0569

difference

[dífərəns]

명 다름, 차이

Mars has some **differences** from Earth.
화성은 지구와는 몇 가지 다른 점이 있다.

0570

different

[dífərənt]

형 다른, 여러 가지의

My old backpack was red, so I want a **different** color.
내 낡은 배낭이 빨간색이었고, 그래서 나는 다른 색을 원한다.

바로 테스트

< Way to go!

정답 275쪽

영어는 우리말로, 우리말은 영어로 쓰세요.

01 remember
02 bow
03 flight
04 manner
05 inform
06 couple
07 able
08 ghost
09 pain
10 yet
11 divide
12 differ
13 cheap
14 honor
15 object
16 배경, 바탕
17 연기; 담배를 피우다
18 거리, 간격
19 식료품 (가게)
20 다름, 차이
21 그러므로
22 기억(력)
23 비싼, 돈이 많이 드는
24 호의, 부탁
25 잊다, 잊어버리다
26 증가(하다)
27 정보
28 자선 (단체)
29 다른, 여러 가지의
30 전문점; 술집; 막대

함께 외우는 어휘 쌍

우리말을 보고 알맞은 단어를 쓰세요.

31 ______ 비싼 — ______ 값이 싼

32 ______ 기억하다 — ______ 잊다, 잊어버리다

33 ______ 알리다, 통지하다 — ______ 정보

34 ______ 다르다 — ______ 다른, 여러 가지의

DAY 20

5회독 체크

0571

accept

[æksépt / əksépt]

[동] 받아들이다, 인정하다

He **accepted** my offer.
그는 내 제안을 받아들였다.

0572

diet

[dáiət]

[명] 1 식사, 식단 2 (식이요법을 위한) 규정식, 다이어트

A balanced **diet** will keep your body strong and healthy.
균형 잡힌 식단이 당신의 몸을 튼튼하고 건강하게 유지해 줄 것이다.

I'm on a **diet** for health reasons.
나는 건강상의 이유로 다이어트 중이다.

0573

own

[oun]

[형] 자신의 [대] 자신의 것 [동] 소유하다

The snow was so heavy that Gunnar could not see his **own** hands.
눈이 너무 많이 와서 Gunnar는 자신의 손을 볼 수 없었다.

I don't **own** my house.
나는 내 집을 소유하고 있지 않다.

0574

owner

[óunər]

[명] 주인, 소유주

I became the **owner** of a new car.
나는 새 차의 주인이 되었다.

0575

knowledge

[nálidʒ]

[명] 지식

She has some **knowledge** of French history.
그녀는 프랑스 역사에 관한 약간의 지식을 가지고 있다.

0576

adult

[ədʌ́lt / ǽdʌlt]

[명] 어른, 성인 [형] 어른의, 성인의

Adults have fewer bones than babies.
성인은 아기보다 더 적은 수의 뼈를 가진다.

0577

cash

[kæʃ]

명 **현금, 돈**

Holding the **cash** in my hands makes me happy.
현금을 손에 쥐고 있는 것은 나를 행복하게 한다.

0578

gesture

[dʒéstʃər]

명 **몸짓, 제스처**

Gestures can have different meanings in different cultures.
제스처는 다른 문화에서 다른 뜻을 가질 수 있다.

0579

garbage

[gáːrbidʒ]

명 **쓰레기(장)**

Don't throw away **garbage**.
쓰레기를 버리지 마라.

0580

interest

[íntərəst / íntərèst]

명 **관심, 흥미** 동 **관심을 끌다, 흥미를 끌다**

Cartoonists want to catch your **interest**.
만화가들은 당신의 관심을 끌고 싶어 한다.

0581

interested

[íntərəstid / íntərèstid]

형 **관심 있어 하는**

He was **interested** in computers, and his ideas changed the world.
그는 컴퓨터에 관심이 있었고, 그의 생각은 세상을 변화시켰다.

0582

score

[skɔːr]

명 **점수** 동 **점수를 얻다**

I got a high **score** on my history test after taking his class.
나는 그의 수업을 들은 뒤에 역사 시험에서 높은 점수를 받았다.

0583

destroy

[distrɔ́i]

동 파괴하다

Maibon tried to **destroy** the stone.
Maibon은 돌을 파괴하려고 했다.

0584

consider

[kənsídər]

동 [1]고려하다, 숙고하다 [2]여기다

She is **considering** entering the speaking contest.
그녀는 말하기 경연 대회에 나가는 것을 고려하고 있다.

I **consider** them good people.
나는 그들을 좋은 사람들이라고 여긴다.

0585

expect

[ikspékt]

동 예상하다, 기대하다

We're **expecting** some rain in the afternoon.
우리는 오후에 약간의 비를 예상하고 있다.

0586

quite

[kwait]

부 꽤, 아주

It's **quite** cloudy outside.
바깥은 꽤 흐리다.

0587

possible

[pɑ́səbl]

형 가능한

In movies, amazing things are **possible**.
영화에서는 놀라운 것들이 가능하다.

0588

impossible

[impɑ́səbl]

형 불가능한

It is **impossible** for us to be there on time.
우리가 그곳에 제시간에 도착하는 것은 불가능하다.

0589

golden

[góuldən]

형 [1]황금(빛)의 [2]귀중한

She has long **golden** hair.
그녀는 긴 황금빛 머리이다.

You can see my **golden** memories in this album.
너는 이 앨범에서 내 소중한 기억들을 볼 수 있다.

0590

audience

[ɔ́:diəns]

명 청중, 관객, 시청자

The **audiences** were moved by their performance.
관객들은 그들의 공연에 감동받았다.

0591

purpose

[pə́:rpəs]

명 목적

What is the **purpose** of this meeting?
이번 회의의 목적은 무엇입니까?

0592

athlete

[ǽθli:t]

명 운동선수

Boram is a great **athlete** who practices every day.
보람이는 매일 연습하는 훌륭한 운동선수이다.

0593

solve

[sɑlv]

동 [1]풀다 [2]해결하다

I'm going to **solve** 20 math problems every day.
나는 매일 수학 문제를 20개씩 풀 것이다.

We have to find ways to **solve** the problem.
우리는 그 문제를 해결할 방법을 찾아야 한다.

0594

solution

[səlú:ʃən]

명 해법, 해결책

The speeches are about environmental problems and their **solutions**.
그 연설들은 환경 문제들과 그 해결책들에 관한 것이다.

0595

temple

[témpl]

명 사원, 절

Bulguksa is one of the most famous **temples** in Korea.
불국사는 한국에서 가장 유명한 절들 중 하나이다.

0596

forever

[fərévər]

부 영원히

He wanted to stay with her **forever**.
그는 영원히 그녀와 함께 지내고 싶었다.

0597

relative

[rélətiv]

명 친척 형 [1]상대적인 [2]관련된

One of my close **relatives** lives in London.
나와 가까운 친척 중 한 사람이 런던에 산다.

You may think he's rich, but it's all **relative**.
너는 그가 부유하다고 생각할지도 모르지만, 모든 것은 상대적인 것이다.

0598

crop

[krɑp]

명 [1](농)작물 [2]수확량

The main **crops** of this country are potatoes.
이 나라의 주요 농작물은 감자이다.

Farmers are hoping for a good **crop** this year.
농부들은 올해 풍작을 바라고 있다.

0599

cancer

[kǽnsər]

명 암

Mr. Smith passed away last year because of **cancer**.
Smith 씨는 암으로 인해 작년에 세상을 떠났다.

0600

guest

[gest]

명 손님

Only 10 **guests** will be invited to our wedding.
단 10명의 손님만이 우리의 결혼식에 초대받을 것이다.

바로 테스트 < Way to go!

정답 275쪽

영어는 우리말로, 우리말은 영어로 쓰세요.

01 own
02 gesture
03 score
04 diet
05 audience
06 possible
07 forever
08 purpose
09 crop
10 guest
11 golden
12 interest
13 relative
14 solve
15 consider
16 관심 있어 하는
17 지식
18 운동선수
19 예상하다, 기대하다
20 암
21 현금, 돈
22 꽤, 아주
23 사원, 절
24 쓰레기(장)
25 주인, 소유주
26 받아들이다, 인정하다
27 해법, 해결책
28 어른(의), 성인(의)
29 파괴하다
30 불가능한

함께 외우는 어휘 쌍

우리말을 보고 알맞은 단어를 쓰세요.

31 ______ 소유하다 — ______ 주인, 소유주
32 ______ 관심(을 끌다) — ______ 관심 있어 하는
33 ______ 가능한 — ______ 불가능한
34 ______ 풀다; 해결하다 — ______ 해법, 해결책

Idioms in Use DAY 16-20

DAY 16 0476

keep ~ in mind

~을 명심하다

I'll **keep** your advice **in mind.**
당신의 조언을 명심하겠습니다.

DAY 17 0501

either *A* or *B*

A 또는 B 둘 중 하나

I think she is **either** Spanish **or** Portuguese.
나는 그녀가 스페인 사람이거나 포르투갈 사람이라고 생각한다.

DAY 17 0502

neither *A* nor *B*

A와 B 둘 다 아닌

My car is **neither** expensive **nor** cheap.
내 차는 비싸지도 싸지도 않다.

DAY 17 0509

keep in touch (with)

(~와) 연락하고 지내다

She said she would **keep in touch with** us.
그녀는 우리와 연락하고 지낼 것이라고 말했다.

DAY 20 0581

be interested in

~에 관심이 있다

She **was** always **interested in** writing stories.
그녀는 항상 이야기 쓰는 것에 관심이 있었다.

Word Puzzle

정답 275쪽

Find the words.

I	L	I	L	R	A	O	M	J	F	U	X	T
I	Y	W	E	C	P	H	F	E	S	E	R	J
O	W	L	S	M	H	Q	C	Y	E	E	T	D
S	N	T	A	E	E	A	A	L	A	S	N	N
C	Q	H	E	C	C	O	N	S	I	D	E	R
V	I	H	R	N	V	P	U	C	K	Y	M	S
R	G	B	C	E	O	R	D	D	E	D	U	E
V	D	G	N	I	E	L	Z	O	E	L	R	V
X	Q	M	I	D	I	H	W	P	S	A	T	E
A	K	M	P	U	E	F	F	O	R	T	S	R
S	M	Y	B	A	O	Y	Y	L	Y	M	N	A
R	A	B	L	E	L	R	Q	K	Q	E	I	L
N	S	N	U	R	E	G	U	L	A	R	H	K

able ~할 수 있는 | seem ~처럼 보이다 | build 짓다, 건설하다

chance 기회, 가능성 | effort 노력, 수고 | several 몇몇의

regular 규칙적인 | consider 고려하다; 여기다 | increase 증가(하다)

instrument 기구; 악기 | treasure 보물 | audience 청중, 관객

DAY 21

5회독 체크

0601

sheet

[ʃiːt]

명 [1](침대) 시트 [2]종이 한 장

I'll give you some clean **sheets** and blankets.
내가 네게 깨끗한 시트와 담요를 줄게.

He needs a clean **sheet** of paper.
그는 깨끗한 종이 한 장이 필요하다.

0602

provide

[prəváid]

동 주다, 제공하다

It stores water from rain and **provides** the water to crops.
그것은 비로부터 물을 저장하고 작물에 그 물을 제공한다.

0603

gain

[gein]

동 얻다, 획득하다

I **gained** some weight during the vacation.
나는 휴가 중에 살이 좀 쪘다.

0604

daily

[déili]

형 매일의, 일상의 부 하루, 매일

Big data allows us to learn more about our **daily** lives.
빅 데이터는 우리가 일상의 삶에 관해 더 많이 알게 해 준다.

0605

helpful

[hélpfəl]

형 도움이 되는

This program has some **helpful** tips.
이 프로그램에는 몇몇 도움이 되는 조언이 있다.

0606

wealth

[welθ]

명 부(富), 재산

Red stands for **wealth** in China.
빨간색은 중국에서 부(富)를 상징한다.

0607

strange

[streindʒ]

형 이상한, 낯선

Did you hear anything **strange**?
너는 이상한 소리를 들었니?

0608

stranger

[stréindʒər]

명 [1]낯선 사람 [2](어떤 곳에) 처음 온 사람

He is nothing more than a **stranger** to her.
그는 그녀에게 낯선 사람 그 이상이 아니다.

I am a **stranger** in these areas.
나는 이 지역에 처음 온 사람이다.

0609

satellite

[sǽtəlàit]

명 위성, 인공위성

The Moon is a **satellite** of the Earth.
달은 지구의 위성이다.

0610

bet

[bet]

bet - bet

동 [1]확신하다 [2]돈을 걸다 명 내기

I **bet** he'll win a gold medal.
나는 그가 금메달을 딸 것이라고 확신한다.

He **bet** me 10 dollars that I couldn't lose weight.
그는 내가 살을 뺄 수 없을 것이라는 데 10달러를 걸었다.

0611

earn

[əːrn]

동 [1]돈을 벌다 [2]얻다

They **earned** 1,000 dollars yesterday.
그들은 어제 1,000달러를 벌었다.

Robinson **earned** the respect of other players and fans.
Robinson은 다른 선수들과 팬들의 존경을 얻었다.

0612

include

[inklúːd]

동 포함하다, 포함시키다

Main dishes often **include** meat or fish.
주 요리는 흔히 고기나 생선을 포함한다.

0613

chemical

[kémikəl]

명 화학 물질 형 화학의

It is good for the environment because no **chemicals** are used.

어떤 화학 물질도 사용되지 않았기 때문에 그것은 환경에 좋다.

0614

hero

[híərou]

명 [1]영웅 [2]남자 주인공

Firefighters are our **heroes**.

소방관들은 우리의 영웅이다.

The **hero** of the movie is an ordinary man.

그 영화의 남자 주인공은 평범한 사람이다.

0615

important

[impɔ́ːrtənt]

형 중요한

It is **important** to show your love for the people around you.

당신의 주변 사람들에 대한 사랑을 표현하는 것은 중요하다.

0616

importance

[impɔ́ːrtəns]

명 중요(성)

This experience has taught me the **importance** of understanding other cultures.

이 경험은 다른 문화를 이해하는 것의 중요성을 내게 가르쳐 주었다.

0617

difficulty

[dífikʌ̀lti]

명 어려움, 곤란

I could answer his question without **difficulty**.

나는 어려움 없이 그의 질문에 답할 수 있었다.

0618

journey

[dʒə́ːrni]

명 여행, 여정

Two brothers went on a **journey**.

두 형제가 여행을 갔다.

0619

figure

[fígjər]

명 [1]수치, 숫자 [2]형상, 인물상

The **figure** increased up to 10 percent.
수치는 10%까지 증가했다.

I'm interested in collecting **figures**.
나는 인물상[피규어]을 모으는 것에 관심이 있다.

0620

soil

[sɔil]

명 흙, 토양

The **soil** in this desert is very similar to the **soil** on Mars.
이 사막의 토양은 화성의 토양과 아주 비슷하다.

0621

credit

[krédit]

명 신용 동 신용하다

Can I pay by my **credit** card?
제가 신용 카드로 계산해도 될까요?

0622

visit

[vízit]

동 방문하다 명 방문

My family is going to **visit** my grandmother in Busan.
나의 가족은 부산에 계신 할머니를 방문할 것이다.

0623

visitor

[vízitər]

명 방문객, 손님

Many **visitors** take a quick look at one painting for only a few seconds before they move on.
많은 방문객들은 이동하기 전에 그림 한 점을 단 몇 초 동안만 빨리 본다.

0624

mad

[mæd]

형 [1]미친 [2]화가 난

She must be **mad** to marry him.
그와 결혼을 하다니 그녀는 미친 것이 분명하다.

Are you **mad** at me?
너는 나한테 화가 났니?

0625

route
[ruːt / raut]

명 [1]길 [2]노선

The **route** was closed because of the heavy snow.
그 길은 폭설로 인해 폐쇄되었다.

The market is on a bus **route**.
그 시장은 버스 노선 상에 있다.

0626

schedule
[skédʒuːl]

명 일정 동 일정을 잡다, 예정하다

I have a busy **schedule** this week.
나는 이번 주에 일정이 바쁘다.

She has **scheduled** a meeting for tomorrow.
그녀는 내일 회의 일정을 잡았다.

0627

loud
[laud]

형 (소리가) 큰, 시끄러운

Make sure you don't make **loud** noise.
반드시 큰 소음이 나지 않게 해라.

0628

aloud
[əláud]

부 소리 내어, 큰 소리로

I was reading my poem **aloud** in the classroom.
나는 교실에서 내가 쓴 시를 소리 내어 읽고 있었다.

0629

structure
[strʌ́ktʃər]

명 구조(물)

The building is the oldest three-story **structure** in the town.
그 건물은 마을에서 가장 오래된 3층짜리 구조물이다.

0630

statue
[stǽtʃuː]

명 조각상

We decided to put up a **statue** of him in the park.
우리는 공원에 그의 조각상을 세우기로 결정했다.

정답 276쪽

영어는 우리말로, 우리말은 영어로 쓰세요.

01 daily
02 hero
03 visitor
04 figure
05 stranger
06 mad
07 bet
08 satellite
09 loud
10 important
11 provide
12 schedule
13 route
14 statue
15 include
16 중요(성)
17 구조(물)
18 화학 물질; 화학의
19 소리 내어, 큰 소리로
20 여행, 여정
21 신용(하다)
22 돈을 벌다; 얻다
23 도움이 되는
24 (침대) 시트; 종이 한 장
25 어려움, 곤란
26 부, 재산
27 방문(하다)
28 이상한, 낯선
29 흙, 토양
30 얻다, 획득하다

함께 외우는 어휘 쌍

우리말을 보고 알맞은 단어를 쓰세요.

31 ______ 이상한, 낯선 — ______ 낯선 사람
32 ______ 중요한 — ______ 중요(성)
33 ______ 방문(하다) — ______ 방문객, 손님
34 ______ (소리가) 큰 — ______ 소리 내어, 큰 소리로

DAY 22

5회독 체크

0631

root

[ru:t]

명 [1]뿌리 [2]근원

Tree **roots** damaged the building.
나무뿌리가 건물에 손상을 입혔다.

The **root** of the problem is money.
문제의 근원은 돈이다.

0632

pride

[praid]

명 [1]자랑, 자부심 [2]자존심

The team is the **pride** of our school.
그 팀은 우리 학교의 자랑이다.

Her words hurt my **pride**.
그녀의 말이 내 자존심을 상하게 했다.

0633

proud

[praud]

형 자랑스러워하는

He must be **proud** of his appearance.
그는 자신의 외모가 자랑스러울 것임에 틀림없다.

0634

rubber

[rʌ́bər]

명 고무

We'll make a guitar from old boxes and **rubber** bands.
우리는 낡은 상자와 고무줄로 기타를 만들 것이다.

0635

vote

[vout]

명 표, 투표 동 투표하다

A man is writing the number of **votes** on the board.
한 남자가 칠판에 득표수를 적고 있다.

I'll work hard for our class, so please **vote** for me.
우리 반을 위해 열심히 일할 테니 제게 투표해 주세요.

0636

discuss

[diskʌ́s]

동 토론하다, 논의하다

I liked their way of **discussing** matters.
나는 문제를 논의하는 그들의 방식이 마음에 들었다.

0637

appreciate

[əpríːʃièit]

동 ¹감사하다 ²감상하다

I do **appreciate** your help.
도와주셔서 정말 감사합니다.

You will **appreciate** the opera better if you know the story.
만약 당신이 줄거리를 안다면 오페라를 더 잘 감상할 것이다.

0638

familiar

[fəmíliər]

형 친숙한, 익숙한

His voice is **familiar** to everyone.
그의 목소리는 모두에게 친숙하다.

0639

repair

[ripέər]

동 수리하다 명 수리

She **repaired** her laptop herself.
그녀는 직접 자신의 노트북을 수리했다.

0640

harvest

[hάːrvist]

명 수확 동 수확하다

This year, the **harvest** is bad because of the flood.
올해는 홍수 때문에 수확이 나쁘다.

0641

university

[jùːnəvə́ːrsəti]

명 대학

I will get into Oxford **University**!
나는 옥스퍼드 대학에 들어갈 것이다!

0642

bucket

[bʌ́kit]

명 양동이

We'll make drums from old plastic **buckets**.
우리는 낡은 플라스틱 양동이로 북을 만들 것이다.

0643

head

[hed]

동 ~로 향하다 명 머리

I'm **heading** for my grandmother's house.
나는 할머니 댁으로 향하고 있다.

The doctor shook his **head**.
의사는 고개를 저었다.

0644

headache

[hédèik]

명 두통

I have a terrible **headache**.
나는 두통이 심하다.

0645

cage

[keidʒ]

명 새장[우리] 동 새장[우리]에 가두다

The peacock is stuck in a **cage**.
공작은 새장 안에 갇혀 있다.

0646

coast

[koust]

명 해안, 연안

My family went on a trip to the east **coast**.
우리 가족은 동해안으로 여행을 갔다.

0647

handsome

[hǽnsəm]

형 멋진, 잘생긴

He is very tall and **handsome**.
그는 아주 키가 크고 잘생겼다.

0648

bark

[bɑːrk]

동 (개가) 짖다 명 짖는 소리

I heard a dog **bark** last night.
나는 지난밤에 개가 짖는 것을 들었다.

0649

bend

[bend]

bent - bent

동 굽히다, 구부리다

Slowly **bend** your left leg.
천천히 당신의 왼쪽 다리를 구부려라.

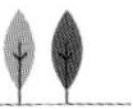

0650

forward

[fɔ́ːrwərd]

부 앞으로 동 전달하다

I took a step **forward** and shook his hand.
나는 한 걸음 앞으로 나와서 그와 악수했다.

My boss **forwarded** me her e-mail.
나의 상사가 그녀의 이메일을 내게 전달해 주었다.

0651

strength

[streŋkθ]

명 1 힘 2 강점, 장점

Ants have amazing **strength**.
개미에게는 놀라운 힘이 있다.

I think you have lots of **strengths**.
나는 네게 많은 장점이 있다고 생각한다.

0652

surprised

[sərpráizd]

형 놀란, 놀라는

I was **surprised** at the size of their house.
나는 그들의 집 크기에 놀랐다.

0653

surprisingly

[sərpráiziŋli]

부 놀랍게도, 대단히

Surprisingly, 90 percent of the girls take selfies.
놀랍게도 90%의 소녀들이 셀카를 찍는다.

0654

cost

[kɔːst]

cost - cost

명 비용[값] 동 비용[값]이 들다

We gave up the plan because of the high **cost**.
우리는 비싼 비용 때문에 계획을 포기했다.

0655

reward

[riwɔ́ːrd]

명 상, 보상 동 상을 주다, 보상하다

I'll give a **reward** of 100 dollars to the person who finds that ring!
나는 그 반지를 찾는 사람에게 100달러의 보상을 할 것이다!

0656

fame

[feim]

명 명성

Hepburn realized that her **fame** could help others.
Hepburn은 그녀의 명성이 다른 사람들을 도울 수 있다는 것을 깨달았다.

0657

famous

[féiməs]

형 유명한

Today, we'll visit **famous** places in London.
오늘 우리는 런던에 있는 유명한 장소들을 방문할 것이다.

0658

alarm

[əlάːrm]

명 [1]경보(기) [2]불안, 놀람 동 놀라게 하다

The building has a security **alarm**.
그 건물은 보안 경보기를 갖추고 있다.

The child was crying in **alarm**.
아이는 놀라서 울고 있었다.

0659

wrap

[ræp]

동 싸다, 포장하다

I'll **wrap** the present.
나는 선물을 포장할 것이다.

0660

elementary

[èləméntəri]

형 초급의, 기본적인

They have been best friends since **elementary** school.
그들은 초등학교 때부터 가장 친한 친구로 지내 왔다.

바로 테스트

< Way to go!

정답 276쪽

영어는 우리말로, 우리말은 영어로 쓰세요.

01 headache
02 appreciate
03 surprisingly
04 handsome
05 alarm
06 familiar
07 fame
08 repair
09 discuss
10 strength
11 cost
12 pride
13 bucket
14 cage
15 harvest
16 굽히다, 구부리다
17 초급의, 기본적인
18 대학
19 표; 투표(하다)
20 앞으로; 전달하다
21 자랑스러워하는
22 유명한
23 해안, 연안
24 상(을 주다), 보상(하다)
25 고무
26 뿌리; 근원
27 놀란, 놀라는
28 ~로 향하다; 머리
29 싸다, 포장하다
30 (개가) 짖다; 짖는 소리

함께 외우는 어휘 쌍

우리말을 보고 알맞은 단어를 쓰세요.

31 ________ 자랑; 자존심 — ________ 자랑스러워하는
32 ________ 머리 — ________ 두통
33 ________ 놀란, 놀라는 — ________ 놀랍게도, 대단히
34 ________ 명성 — ________ 유명한

DAY 23

5회독 체크

0661

flat

[flæt]

형 [1]평평한 [2]바람이 빠진, 펑크 난

When you paint lines, a **flat** brush is better.
선을 칠할 때는 납작한 붓이 더 낫다.

Their car got a **flat** tire.
그들의 차의 타이어에 펑크가 났다.

0662

wooden

[wúdn]

형 나무로 된

In harmony with nature, people have built **wooden** houses for a long time.
자연과 조화를 이루어 사람들은 오랫동안 나무로 된 집을 지어 왔다.

0663

neighbor

[néibər]

명 이웃 사람

Some **neighbors** broke his windows.
몇몇 이웃 사람들이 그의 창문을 깨뜨렸다.

0664

neighborhood

[néibərhùd]

명 [1]근처 [2]이웃 사람들

We can post the posters in our **neighborhood**.
우리는 근처에 포스터를 붙일 수 있다.

The whole **neighborhood** can hear you.
이웃 사람들 모두가 네 목소리를 들을 수 있다.

0665

muscle

[mʌ́sl]

명 근육

David exercises every day to develop his **muscles**.
David는 근육을 키우기 위해 매일 운동한다.

0666

article

[ɑ́ːrtikl]

명 [1](신문, 잡지의) 기사 [2]물품

I'm reading an **article** about growing plants without soil.
나는 흙 없이 식물 키우는 것에 관한 기사를 읽고 있다.

The **article** I ordered yesterday will come soon.
내가 어제 주문했던 물품이 곧 올 것이다.

0667

dot

[dɑt]

명 점 동 점을 찍다

Draw two **dots** and six lines.
두 개의 점과 여섯 개의 선을 그려라.

0668

lock

[lɑk]

동 잠그다 명 자물쇠

Don't forget to **lock** the door when you go out.
외출할 때 문 잠그는 것을 잊지 말아라.

0669

metal

[métl]

명 금속

Metal expands in heat.
금속은 열에 팽창한다.

0670

poem

[póuəm]

명 (한 편의) 시

The **poem** was written by Yun Dongju.
그 시는 윤동주에 의해 쓰였다.

0671

poetry

[póuitri]

명 (문학 형식으로서의) 시

Do you like to read **poetry**?
너는 시 읽는 것을 좋아하니?

0672

poet

[póuit]

명 시인

William Shakespeare was a **poet** and a playwright.
윌리엄 셰익스피어는 시인이자 극작가였다.

0673

shock

[ʃɑk]

동 깜짝 놀라게 하다 명 충격

The news of the accident **shocked** all of us.
그 사고 소식은 우리 모두를 깜짝 놀라게 했다.

Everyone in Kenneth's family was in **shock**.
Kenneth의 가족 모두는 충격에 빠졌다.

0674

lonely

[lóunli]

형 외로운, 쓸쓸한

When Sheila moved to this town last month, she was **lonely**.
Sheila는 지난달에 이 마을로 이사 왔을 때 외로웠다.

0675

dislike

[disláik]

동 싫어하다 명 싫음, 반감

My parents **dislike** me being lazy.
나의 부모님은 내가 게으름 피우는 것을 싫어하신다.

0676

suffer

[sʌ́fər]

동 고통을 겪다

I heard about the animals **suffering**.
나는 고통을 겪고 있는 동물들에 관해 들었다.

0677

perhaps

[pərhǽps]

부 아마도, 어쩌면

Perhaps we can't be there on time.
아마도 우리는 제시간에 그곳에 도착할 수 없을 것이다.

0678

kindness

[káindnis]

명 친절, 다정함

She did a **kindness** to the poor.
그녀는 가난한 사람들에게 친절을 베풀었다.

0679

agree

[əgríː]

동 **동의하다**

The professor **agreed** that it was just a mistake.
교수는 그것이 단지 실수였다는 것에 동의했다.

0680

disagree

[dìsəgríː]

동 **동의하지 않다**

How come you **disagree** with me all the time?
왜 너는 항상 내게 동의하지 않는 거니?

0681

government

[gʌ́vərnmənt]

명 **정부, 정권**

In 1992, the Korean **government** asked the French **government** for the book's return.
1992년에 한국 정부는 프랑스 정부에 그 책의 반환을 요청했다.

0682

battle

[bǽtl]

명 **전투, 다툼** 동 **싸우다**

Many soldiers were killed in the **battle**.
많은 군인들이 그 전투에서 전사했다.

0683

castle

[kǽsl]

명 **성(城)**

The king lives in the **castle**.
그 왕은 성에 산다.

0684

exist

[igzíst]

동 **존재하다, 실재하다**

I believe that ghosts **exist**.
나는 유령이 실재한다고 믿는다.

0685

complain

[kəmpléin]

동 불평하다, 항의하다

I'm not **complaining** about that.
나는 그것에 관해 불평하고 있는 것이 아니다.

0686

luck

[lʌk]

명 운, 행운

He told everyone about his **luck**.
그는 모두에게 그의 행운에 관해 이야기했다.

0687

luckily

[lʌ́kili]

부 운 좋게, 다행히도

Luckily, he wasn't badly hurt.
다행히도 그는 심하게 다치지 않았다.

0688

tough

[tʌf]

형 1 힘든 2 강인한, 굳센

It looks like she is in a **tough** situation.
그녀는 힘든 상황에 처한 것 같다.
He is only a child, but he is **tough**.
그는 어린아이일 뿐이지만 강인하다.

0689

forgive

[fərgív]

forgave - forgiven

동 용서하다

I can't **forgive** Jenny.
나는 Jenny를 용서할 수 없다.

0690

ashamed

[əʃéimd]

형 부끄러워하는

I'm **ashamed** that I said such things.
나는 내가 그러한 말들을 했던 것이 부끄럽다.

바로 테스트

< Way to go!

정답 276쪽

영어는 우리말로, 우리말은 영어로 쓰세요.

01 shock
02 poem
03 luckily
04 battle
05 neighbor
06 forgive
07 metal
08 perhaps
09 flat
10 article
11 suffer
12 agree
13 lock
14 tough
15 dislike
16 운, 행운
17 불평하다, 항의하다
18 시인
19 친절, 다정함
20 부끄러워하는
21 (문학 형식으로서의) 시
22 외로운, 쓸쓸한
23 나무로 된
24 근육
25 성(城)
26 동의하지 않다
27 근처; 이웃 사람들
28 점(을 찍다)
29 존재하다, 실재하다
30 정부, 정권

함께 외우는 어휘 쌍

우리말을 보고 알맞은 단어를 쓰세요.

31 ______ 이웃 사람 — ______ 근처; 이웃 사람들

32 ______ (한 편의) 시 — ______ 시인

33 ______ 동의하다 — ______ 동의하지 않다

34 ______ 운, 행운 — ______ 운 좋게, 다행히도

DAY 24

5회독 체크

0691

dive

[daiv]

dived/dove-dived

동 (물속으로) 뛰어들다

Let's **dive** into the water.
물속으로 뛰어들자.

0692

upper

[ʌ́pər]

형 더 높이 있는, 위쪽의

His movie made fun of the **upper** class.
그의 영화는 상류층을 조롱했다.

0693

pattern

[pǽtərn]

명 양식, 무늬, 패턴

The bag has a star **pattern** on it.
그 가방에는 별무늬가 있다.

0694

sudden

[sʌ́dn]

형 갑작스러운

Everyone was shocked by his **sudden** change.
모두가 그의 갑작스러운 변화에 충격을 받았다.

0695

suddenly

[sʌ́dnli]

부 갑자기

Suddenly, everything started to shake.
갑자기 모든 것이 흔들리기 시작했다.

0696

population

[pɑ̀pjuléiʃən]

명 인구

About 80% of the world's **population** lives under skies that are not dark enough at night.
세계 인구의 약 80%는 밤에 충분히 어둡지 않은 하늘 아래에서 산다.

0697

swallow

[swálou]

동 삼키다 명 제비

A boy **swallowed** his gum.
남자아이가 껌을 삼켰다.

When **swallows** return, spring begins.
제비들이 돌아올 때 봄이 시작된다.

0698

earthquake

[ə́:rθkwèik]

명 지진

Do you know what to do when an **earthquake** strikes?
당신은 지진이 일어났을 때 무엇을 해야 하는지 아는가?

0699

edge

[edʒ]

명 가장자리, 끝

He lives in an apartment on the **edge** of the city.
그는 시 변두리에 있는 아파트에 산다.

0700

care

[kɛər]

동 [1]관심을 가지다 [2]돌보다 명 [1]돌봄 [2]조심

I hope more people **care** about global warming.
나는 더 많은 사람들이 지구 온난화에 관심을 갖기를 바란다.

The poor girl needed somebody to take **care** of her.
그 불쌍한 소녀에게는 그녀를 돌봐 줄 누군가가 필요했다.

0701

careful

[kέərfəl]

형 조심하는, 주의 깊은

I'll be more **careful**.
내가 더 조심할게.

0702

portrait

[pɔ́:rtrit]

명 초상화

The artist is drawing a **portrait** of the president.
그 화가는 대통령의 초상화를 그리고 있다.

0703

screen

[skriːn]

명 화면 동 가리다, 차단하다

Don't look at phone **screens** for too long.
전화기 화면을 너무 오랫동안 보지 마라.

Trees **screened** the house from the sunlight.
나무들이 햇빛으로부터 집을 가려 주었다.

0704

signal

[sígnəl]

명 신호 동 신호를 보내다

I use hand **signals** on a bike.
나는 자전거를 탈 때 수신호를 사용한다.

0705

nearly

[níərli]

부 거의

Our video got **nearly** 5,000 hits.
우리의 영상은 거의 5,000회의 조회 수를 얻었다.

0706

fair

[fɛər]

형 공정한, 타당한 명 박람회

Parents should be **fair** with their children.
부모는 자녀들에게 공정해야 한다.

I'm planning to go to the book **fair** with Jimmy.
나는 Jimmy와 함께 책 박람회에 가려고 계획 중이다.

0707

unfair

[ʌnfɛ́ər]

형 부당한, 불공평한

Her decision is so **unfair**.
그녀의 결정은 아주 부당하다.

0708

deaf

[def]

형 청각 장애가 있는

His mother and wife were **deaf**.
그의 어머니와 아내에게는 청각 장애가 있었다.

0709

noisy

[nɔ́izi]

형 **시끄러운**

The bus is so **noisy** that I can't hear the music.
버스가 너무 시끄러워서 나는 음악을 들을 수가 없다.

0710

spill

[spil]

spilled/spilt -spilled/spilt

동 **흐르다, 쏟다**

It is no use crying over **spilt** milk.
엎질러진 우유 앞에서 울어 봐야 소용없다. (이미 엎질러진 물이다.)

0711

astronaut

[ǽstrənɔ̀:t]

명 **우주 비행사**

The **astronaut** spent 10 days in outer space.
그 우주 비행사는 우주에서 10일을 보냈다.

0712

stuff

[stʌf]

명 **물건, 것(들)**

She uses my **stuff** without asking me first.
그녀는 내게 먼저 묻지 않고 내 물건을 사용한다.

0713

dynasty

[dáinəsti]

명 **왕조**

Changdeokgung is a palace from the Joseon **Dynasty**.
창덕궁은 조선 왕조 때의 궁전이다.

0714

greenhouse

[grí:nhàus]

명 **온실**

The vegetables are growing in a **greenhouse**.
채소들이 온실에서 자라고 있다.

0715

beg

[beg]

동 간청하다, 구걸하다

Some people were **begging** for money.
몇몇 사람들이 돈을 구걸하고 있었다.

0716

emotion

[imóuʃən]

명 감정, 정서

Art is a great tool to express **emotion**.
미술은 감정을 표현하는 훌륭한 도구이다.

0717

education

[èdʒukéiʃən]

명 교육

People have used cartoons for **education**.
사람들은 만화를 교육용으로 사용해 왔다.

0718

courage

[kə́:ridʒ]

명 용기

I gathered my **courage** and went to him.
나는 용기를 내어 그에게 갔다.

0719

please

[pli:z]

동 기쁘게 하다 부 제발, 부디

It is not easy to **please** everybody.
모두를 기쁘게 하기란 쉽지 않다.
Can you **please** wait here?
이곳에서 기다려 주시겠어요?

0720

pleased

[pli:zd]

형 기쁜, 기뻐하는

Jihun looked really **pleased**.
지훈이는 무척 기뻐 보였다.

바로 테스트

영어는 우리말로, 우리말은 영어로 쓰세요.

01 swallow
02 upper
03 pattern
04 portrait
05 spill
06 deaf
07 care
08 beg
09 screen
10 sudden
11 noisy
12 fair
13 stuff
14 education
15 please
16 우주 비행사
17 인구
18 조심하는, 주의 깊은
19 왕조
20 용기
21 기쁜, 기뻐하는
22 (물속으로) 뛰어들다
23 갑자기
24 감정, 정서
25 부당한, 불공평한
26 거의
27 온실
28 신호(를 보내다)
29 지진
30 가장자리, 끝

함께 외우는 어휘 쌍

우리말을 보고 알맞은 단어를 쓰세요.

31 ______ 갑작스러운 — ______ 갑자기
32 ______ 조심 — ______ 조심하는, 주의 깊은
33 ______ 공정한, 타당한 — ______ 부당한, 불공평한
34 ______ 기쁘게 하다 — ______ 기쁜, 기뻐하는

DAY 25

5회독 체크

0721

confident

[kánfədənt]

형 ¹자신감 있는 ²확신하는

She looks happy and **confident**.
그녀는 행복하고 자신감 있어 보인다.

The coach was **confident** they would win the game.
코치는 그들이 경기에서 이길 것을 확신했다.

0722

conversation

[kànvərséiʃən]

명 대화

You can't have a **conversation** by just listening.
그저 듣기만 해서는 대화를 할 수 없다.

0723

cough

[kɔːf]

동 기침하다 명 기침

I started to **cough** a lot last night.
나는 지난밤에 기침을 많이 하기 시작했다.

0724

smart

[smɑːrt]

형 똑똑한, 영리한

Octopuses are very **smart**, and they can also use tools.
문어는 아주 똑똑하고 도구를 사용할 수도 있다.

0725

stupid

[stjúːpid]

형 어리석은, 멍청한

Yesterday I made a **stupid** mistake.
어제 나는 멍청한 실수를 저질렀다.

0726

fever

[fíːvər]

명 열, 열병

Her body is burning with high **fever**.
그녀의 몸이 고열로 인해 펄펄 끓고 있다.

0727

downtown

[dáuntàun]

부 시내에, 시내로 형 도심의, 중심가의

This bus doesn't go **downtown**.
이 버스는 시내로 가지 않는다.

0728

opposite

[ápəzit / ápəsit]

형 [1]다른 편의 [2]정반대의

She walked away in the **opposite** direction.
그녀는 다른 방향으로 걸어가 버렸다.

Lisa has **opposite** opinions to mine.
Lisa는 나와는 반대 의견을 가진다.

0729

positive

[pázətiv]

형 긍정적인

People like Peter because he is a **positive** and funny person.
사람들은 Peter가 긍정적이고 재미있는 사람이라 좋아한다.

0730

advice

[ædváis]

명 조언, 충고

Can you give me some **advice**?
제게 조언을 해 주시겠어요?

0731

advise

[ædváiz]

동 조언하다, 충고하다

His mother and father **advised** him to control his anger.
그의 어머니와 아버지는 그에게 분노를 조절하라고 충고했다.

0732

ugly

[ʌ́gli]

형 못생긴, 추잡한

The monster was old and **ugly**.
그 괴물은 늙고 못생겼다.

0733

northern

[nɔ́ːrðərn]

형 북쪽의, 북쪽에 위치한

The Sahara is a desert that covers most of **northern** Africa.
사하라는 북부 아프리카의 대부분을 차지하는 사막이다.

0734

single

[síŋgl]

형 [1]단 하나의 [2]1인용의, 혼자의

A **single** hair can hold up 100g.
머리카락 한 올은 100g을 지탱할 수 있다.

I want a **single** room for two days.
저는 이틀간 머무를 1인용 방을 원합니다.

0735

furniture

[fə́ːrnitʃər]

명 가구

The couple bought some new **furniture**.
부부는 몇몇 새 가구를 샀다.

0736

exchange

[ikstʃéindʒ]

동 교환하다 명 교환

Can I **exchange** this shirt for a blue one?
제가 이 셔츠를 파란 것으로 교환할 수 있을까요?

0737

clerk

[kləːrk]

명 점원, 직원

Chuck asked the **clerk** to show him some pants.
Chuck은 점원에게 바지를 보여 달라고 요청했다.

0738

customer

[kʌ́stəmər]

명 손님, 고객

One **customer** complained that the music was too noisy.
한 손님이 음악이 너무 시끄럽다고 항의했다.

0739

disaster

[dizǽstər]

명 **재해, 재난**

Think about how to be safe during this kind of natural **disaster**.

이러한 종류의 자연재해 동안에 안전하게 있을 방법을 생각해 보아라.

0740

fear

[fiər]

명 **두려움** 동 **두려워하다**

His heart began to beat with **fear**.

그의 심장이 두려움으로 뛰기 시작했다.

0741

fur

[fəːr]

명 **털, 모피**

People often hunt animals for their **fur**.

흔히 사람들은 털을 얻으려고 동물들을 사냥한다.

0742

encourage

[inkə́ːridʒ]

동 **용기를 북돋우다, 격려하다**

My friends and family always **encourage** me.

내 친구들과 가족은 언제나 나를 격려해 준다.

0743

invite

[inváit]

동 **초대하다**

Dean **invited** his friends to his room one evening.

어느 날 저녁 Dean은 친구들을 자신의 방에 초대했다.

0744

invitation

[ìnvitéiʃən]

명 **초대(장)**

I think he will accept my **invitation**.

나는 그가 내 초대를 받아들일 것이라고 생각한다.

0745

slide

[slaid]

slid - slid

동 **미끄러지다, 미끄러져 움직이다**

The car **slid** down the icy road.
차는 빙판길을 미끄러져 내려갔다.

0746

limit

[límit]

명 **한계** 동 **제한하다**

It's a chance to test your **limits** and make your own history.
그것은 네 한계를 시험하고 너 자신의 역사를 만들 기회이다.

The company decided to **limit** working hours.
회사는 근무 시간을 제한하기로 결정했다.

0747

shore

[ʃɔːr]

명 **바닷가, 호숫가, 강가**

He and I were walking along the **shore**.
그와 나는 바닷가를 따라 걷고 있었다.

0748

grain

[grein]

명 **곡물, 낟알**

She can only eat fruits, vegetables, and **grains**.
그녀는 오직 과일, 채소, 곡물만 먹을 수 있다.

0749

tap

[tæp]

동 **톡톡 두드리다** 명 **수도꼭지**

I **tapped** him on the shoulder.
나는 그의 어깨를 두드렸다.

Can you turn the **tap** off?
수도꼭지를 잠가 주겠니?

0750

certainly

[sə́ːrtnli]

부 **확실히, 물론**

This shirt is **certainly** different from that one.
이 셔츠는 저것과 확실히 다르다.

바로 테스트

< Way to go!

정답 277쪽

영어는 우리말로, 우리말은 영어로 쓰세요.

01 downtown
02 single
03 customer
04 fur
05 limit
06 stupid
07 shore
08 tap
09 advice
10 encourage
11 certainly
12 invitation
13 grain
14 northern
15 slide
16 두려움; 두려워하다
17 똑똑한, 영리한
18 기침(하다)
19 재해, 재난
20 조언하다, 충고하다
21 긍정적인
22 자신감 있는; 확신하는
23 교환(하다)
24 열, 열병
25 초대하다
26 대화
27 점원, 직원
28 못생긴, 추잡한
29 가구
30 다른 편의; 정반대의

함께 외우는 어휘 쌍

우리말을 보고 알맞은 단어를 쓰세요.

31 ______ 똑똑한, 영리한 — ______ 어리석은, 멍청한

32 ______ 조언, 충고 — ______ 조언하다, 충고하다

33 ______ 점원, 직원 — ______ 손님, 고객

34 ______ 초대하다 — ______ 초대(장)

Idioms in Use DAY 21-25

DAY 22 0638

be familiar with

~에 익숙하다

Most of us **are familiar with** air, water, and land pollution.
우리 대부분은 공기, 물, 그리고 토양 오염에 익숙하다.

DAY 22 0650

look forward to

~을 고대하다

I'm **looking forward to** the school festival this weekend.
나는 이번 주말에 있을 학교 축제를 고대하고 있다.

DAY 23 0676

suffer from

~로 고통받다

Animals **suffer from** serious pollution.
동물들은 심한 오염으로 고통받는다.

DAY 23 0690

be ashamed of

~을 부끄러워하다

You must **be ashamed of** yourself for being lazy.
게으르게 굴다니 너는 부끄러운 줄 알아야 해.

DAY 24 0700

care for

1 ~을 보살피다 2 ~을 좋아하다

We will **care for** people in need.
우리는 도움이 필요한 사람들을 보살필 것이다.

I don't **care for** my friends that much.
나는 내 친구들을 그다지 좋아하지 않는다.

Crossword Puzzle

DAY 21-25

정답 277쪽

ACROSS

1 싸다, 포장하다

6 힘; 강점, 장점

7 존재하다, 실재하다

8 포함하다, 포함시키다

11 주다, 제공하다

12 거의

DOWN

2 긍정적인

3 재해, 재난

4 용서하다

5 교환(하다)

9 외로운, 쓸쓸한

10 길; 노선

DAY 26

5회독 체크

0751

curious

[kjúəriəs]

형 [1]궁금한 [2]호기심이 많은

I'm really **curious** about Mars.
나는 화성이 무척 궁금하다.

We're looking for someone who is creative and **curious**.
우리는 창의적이고 호기심이 많은 사람을 찾고 있다.

0752

overcome

[òuvərkʌ́m]

overcame - overcome

동 극복하다

We can **overcome** this difficulty.
우리는 이 곤경을 극복할 수 있다.

0753

foolish

[fúːliʃ]

형 어리석은, 바보 같은

He paid for his **foolish** mistake.
그는 그의 어리석은 실수에 대해 대가를 치렀다.

0754

spray

[sprei]

동 뿌리다 명 분무기, 스프레이

He **sprayed** water on his car.
그는 자신의 차에 물을 뿌렸다.

Do we have any bug **spray**?
우리는 벌레 스프레이를 가지고 있나요?

0755

source

[sɔːrs]

명 원천, 근원

Pineapples are an excellent **source** of vitamin C.
파인애플은 비타민 C의 훌륭한 원천이다.

0756

sightseeing

[sáitsìːiŋ]

명 관광

My family went on a **sightseeing** trip to Rome.
나의 가족은 로마로 관광 여행을 갔다.

0757

path

[pæθ]

명 길, 경로

She is walking along the mountain **path**.
그녀는 산길을 따라 걷고 있다.

0758

responsible

[rispάnsəbl]

형 ¹책임지고 있는 ²책임감 있는

Mr. Namar is **responsible** for selling our products.
Namar 씨는 우리 제품의 판매를 책임지고 있다.

I want to be a **responsible** adult.
나는 책임감 있는 어른이 되고 싶다.

0759

deal

[di:l]

dealt - dealt

동 다루다 명 거래

They **deal** with the same subject in their paintings.
그들은 그림에서 같은 주제를 다룬다.

I made a **deal** with her.
나는 그녀와 거래했다.

0760

beauty

[bjú:ti]

명 아름다움, 미(美)

Audrey Hepburn became a symbol of **beauty**.
Audrey Hepburn은 아름다움의 상징이 되었다.

0761

beautiful

[bjú:təfəl]

형 아름다운, 훌륭한

Look at this **beautiful** painting.
이 아름다운 그림을 보아라.

0762

represent

[rèprizént]

동 대표하다

The players will **represent** our country at the World Cup.
그 선수들이 월드컵에서 우리나라를 대표할 것이다.

0763

clap

[klæp]

동 **박수를 치다** 명 **박수**

You should wait and **clap** at the very end.

너는 기다렸다가 맨 마지막에 박수를 쳐야 한다.

0764

throat

[θrout]

명 **목구멍, 목**

The yellow dust hurts our eyes and **throats**.

황사는 우리의 눈과 목을 아프게 한다.

0765

volcano

[vɑlkéinou]

명 **화산**

A **volcano** in Indonesia is smoking.

인도네시아에 있는 화산이 연기를 뿜고 있다.

0766

discover

[diskʌ́vər]

동 **찾다, 발견하다**

Scientists have **discovered** a solution.

과학자들이 해결책을 발견했다.

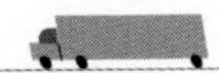

0767

discovery

[diskʌ́vəri]

명 **발견, 발견된 것[사람]**

I'm going to talk about new **discoveries**.

나는 새로운 발견들에 관해 이야기할 것이다.

0768

aid

[eid]

명 **원조, 지원** 동 **돕다, 원조하다**

We need to call in someone's **aid**.

우리는 누군가의 지원을 요청해야 한다.

0769

architect

[á:rkitèkt]

명 건축가, 설계자

Leonardo da Vinci was an **architect** as well as a great painter.
레오나르도 다빈치는 훌륭한 화가일 뿐만 아니라 건축가였다.

0770

worth

[wə:rθ]

형 ~할 가치가 있는 명 가치

The ring is **worth** about 1,000 dollars.
그 반지는 약 1,000달러의 가치가 있다.

0771

embarrass

[imbǽrəs]

동 당황하게 하다

I didn't mean to **embarrass** them.
나는 그들을 당황하게 할 의도가 아니었다.

0772

friendly

[fréndli]

형 친절한, 상냥한

He is very **friendly** and gentle.
그는 무척 친절하고 온화하다.

0773

friendship

[fréndʃip]

명 우정

I watched a video clip about **friendship** between two men and a lion.
나는 두 남자와 사자 사이의 우정에 관한 동영상을 보았다.

0774

career

[kəríər]

명 직업, 경력

I don't know how to choose my future **career**.
나는 어떻게 내 미래의 직업을 선택해야 할지 모르겠다.

0775

supply

[səplái]

동 공급하다 명 공급

The company **supplies** fresh local produce to restaurants.
그 회사는 식당에 신선한 지역 농산물을 공급한다.

0776

suppose

[səpóuz]

동 추측하다, 가정하다

I **suppose** that you heard the news.
나는 네가 그 소식을 들었을 것이라고 생각한다.

0777

choice

[tʃɔis]

명 선택(권)

You have to make a smart **choice**.
너는 현명한 선택을 해야 한다.

0778

choose

[tʃu:z]

chose - chosen

동 고르다, 선택하다

Students can **choose** from many dishes, such as curry, noodle soup, or pasta each day.
학생들은 매일 카레, 국수, 또는 파스타와 같은 많은 음식들 중에 고를 수 있다.

0779

chew

[tʃu:]

동 씹다

Grandpa couldn't **chew** the food because he had a toothache.
할아버지는 치통이 있으셔서 음식을 씹지 못하셨다.

0780

height

[hait]

명 1높이 2키

The building is almost 500 meters in **height**.
그 건물은 높이가 거의 500미터이다.

Can you tell me your **height**?
제게 당신의 키를 말씀해 주시겠어요?

< Way to go!

정답 278쪽

영어는 우리말로, 우리말은 영어로 쓰세요.

01 architect
02 friendship
03 clap
04 deal
05 beauty
06 spray
07 throat
08 choose
09 curious
10 responsible
11 sightseeing
12 height
13 discovery
14 volcano
15 worth
16 찾다, 발견하다
17 씹다
18 추측하다, 가정하다
19 직업, 경력
20 당황하게 하다
21 원천, 근원
22 극복하다
23 원조, 지원; 돕다, 원조하다
24 선택(권)
25 공급(하다)
26 아름다운, 훌륭한
27 친절한, 상냥한
28 길, 경로
29 어리석은, 바보 같은
30 대표하다

함께 외우는 어휘 쌍

우리말을 보고 알맞은 단어를 쓰세요.

31 ______ 아름다움, 미(美) — ______ 아름다운, 훌륭한
32 ______ 찾다, 발견하다 — ______ 발견(된 것[사람])
33 ______ 친절한, 상냥한 — ______ 우정
34 ______ 선택(권) — ______ 고르다, 선택하다

DAY 27

5회독 체크

0781

exhibition

[èksəbíʃən]

명 전시(회)

I went to a science **exhibition** with my brother.
나는 남동생과 함께 과학 전시회에 갔다.

0782

freedom

[fríːdəm]

명 자유

They just wanted the **freedom** to vote.
그들은 투표할 자유를 원할 뿐이었다.

0783

forecast

[fɔ́ːrkæ̀st]

forecasted/forecast -forecasted/forecast

명 예측, 예보 동 예측하다, 예보하다

I'll check the weather **forecast**.
내가 일기 예보를 확인해 볼게.

0784

happiness

[hǽpinis]

명 행복, 기쁨

His small idea gave **happiness** to many people.
그의 작은 아이디어가 많은 사람들에게 행복을 주었다.

0785

fantasy

[fǽntəsi]

명 공상, 상상

J. K. Rowling created **fantasy** worlds in her works.
J. K. Rowling은 그녀의 작품 속에 상상의 세계를 만들었다.

0786

fantastic

[fæntǽstik]

형 환상적인, 굉장한

Sumin's house looks **fantastic** because of its unique design.
수민이의 집은 독특한 디자인 때문에 굉장해 보인다.

0787

independence 명 독립

[ìndipéndəns]

He helped the **independence** movement in many ways.
그는 다방면으로 독립운동을 도왔다.

0788

recommend 동 추천하다, 권고하다

[rèkəménd]

I **recommend** you find three good things about yourself every day.
나는 당신에게 매일 자신의 장점 세 가지를 찾아볼 것을 추천한다.

0789

extra 형 추가의 명 추가되는 것

[ékstrə]

I have an **extra** pen.
나에게 여분의 펜이 있다.

0790

neat 형 정돈된, 단정한

[niːt]

His room always looks **neat** and clean.
그의 방은 언제나 정돈되어 있고 깨끗해 보인다.

0791

salty 형 (맛이) 짠

[sɔ́ːlti]

The food is too **salty**.
음식이 너무 짜다.

0792

organization 명 조직, 단체

[ɔ̀ːrgənizéiʃən]

The company is a 500 employee **organization**.
그 회사는 500명의 직원이 있는 조직이다.

0793

ingredient

[ingrí:diənt]

명 재료, 구성 요소

We put all the **ingredients** into a bowl and mixed them.
우리는 모든 재료를 그릇에 넣고 섞었다.

0794

breath

[breθ]

명 숨, 호흡

Hold your **breath** for 10 seconds.
10초 동안 숨을 참아라.

0795

breathe

[bri:ð]

동 숨을 쉬다, 호흡하다

He wasn't moving or **breathing**.
그는 움직이고 있지도, 숨을 쉬고 있지도 않았다.

0796

ladder

[lǽdər]

명 사다리

Mr. Smith hurries to the street with a **ladder**.
Smith 씨는 사다리를 가지고 서둘러 거리로 갔다.

0797

underground

형 [ʌ́ndərgràund]
부 [ʌ̀ndergráund]

형 지하의 부 지하에

Tommy parked his car in an **underground** parking lot.
Tommy는 지하 주차장에 그의 차를 주차했다.

0798

crash

[kræʃ]

명 사고 동 충돌하다, 추락하다

Four people died in the car **crash**.
네 명의 사람들이 차 사고로 사망했다.
She **crashed** her car into the building.
그녀는 차를 건물에 들이받았다.

0799

frame

[freim]

명 틀, 테

He is hanging a picture **frame** on the wall.
그는 벽에 그림 액자를 걸고 있다.

0800

ancient

[éinʃənt]

형 고대의, 아주 오래된

In **ancient** times, people lived by hunting and fishing.
고대에 사람들은 사냥과 고기잡이를 하며 살았다.

0801

available

[əvéiləbl]

형 이용할 수 있는

Are there any rooms **available** on Sunday?
일요일에 이용할 수 있는 방이 있나요?

0802

stomach

[stʌ́mək]

명 위, 배, 복부

His **stomach** growls, so he enters the kitchen.
그는 배가 꼬르륵거려서 주방에 들어간다.

0803

stomachache

[stʌ́məkèik]

명 위통, 복통

I don't eat when I have a **stomachache**.
나는 배가 아플 때 먹지 않는다.

0804

blame

[bleim]

동 ~을 탓하다, 비난하다 명 책임, 탓

Wagner **blamed** the audience for making noise.
바그너는 소음을 내는 것 때문에 청중을 비난했다.

0805

smooth

[smu:ð]

형 **매끄러운, 부드러운**

He answered in a **smooth** voice.
그는 부드러운 목소리로 답했다.

0806

dirt

[dəːrt]

명 **먼지, 때**

They started wearing dark colors to hide the **dirt**.
그들은 때를 감추기 위해 어두운 색(의 옷을) 입기 시작했다.

0807

dirty

[də́ːrti]

형 **더러운, 지저분한**

Can you tell me how to wash **dirty** sneakers?
더러운 운동화를 세척하는 방법을 내게 말해 주겠니?

0808

row

[rou]

명 **줄, 열** 동 **노를 젓다**

My seat is in the second **row**.
내 자리는 두 번째 줄에 있다.
He **rowed** across the lake.
그는 호수를 가로질러 노를 저었다.

0809

hug

[hʌg]

동 **껴안다, 포옹하다** 명 **포옹**

My father **hugged** us.
나의 아버지가 우리를 껴안았다.

0810

sunset

[sʌ́nsèt]

명 **일몰**

We saw a beautiful **sunset** on the beach in the evening.
우리는 저녁에 해변에서 아름다운 일몰을 보았다.

< Way to go!

정답 278쪽

영어는 우리말로, 우리말은 영어로 쓰세요.

01 dirt
02 extra
03 row
04 hug
05 ancient
06 blame
07 fantasy
08 ingredient
09 crash
10 underground
11 stomachache
12 ladder
13 breathe
14 forecast
15 organization
16 이용할 수 있는
17 더러운, 지저분한
18 (맛이) 짠
19 추천하다, 권고하다
20 정돈된, 단정한
21 위, 배, 복부
22 독립
23 매끄러운, 부드러운
24 숨, 호흡
25 전시(회)
26 환상적인, 굉장한
27 자유
28 일몰
29 행복, 기쁨
30 틀, 테

함께 외우는 어휘 쌍

우리말을 보고 알맞은 단어를 쓰세요.

31 ______ 공상, 상상 — ______ 환상적인, 굉장한

32 ______ 숨, 호흡 — ______ 숨을 쉬다, 호흡하다

33 ______ 위, 배, 복부 — ______ 위통, 복통

34 ______ 먼지, 때 — ______ 더러운, 지저분한

DAY 28

5회독 체크

0811

wipe

[waip]

동 닦다 명 닦기

He **wiped** his glasses on a towel.
그는 수건에 안경을 닦았다.

0812

remind

[rimáind]

동 다시 한 번 알려 주다, 상기시키다

Can you **remind** me to call my mom?
내게 엄마께 전화드리라고 다시 한 번 알려 주겠니?

0813

refuse

[rifjúːz]

동 거절하다, 거부하다

She **refused** my offer.
그녀는 나의 제안을 거절했다.

0814

death

[deθ]

명 죽음, 종말

Do you think that there is life after **death**?
당신은 사후에 삶이 있다고 생각하는가?

0815

birth

[bəːrθ]

명 탄생, 출생

Life is choice between **birth** and death.
삶은 탄생과 죽음 사이의 선택이다.

0816

violent

[váiələnt]

형 폭력적인, 난폭한

I think some games are too **violent**.
나는 몇몇 게임들이 너무 폭력적이라고 생각한다.

0817

sew

[sou]

sewed - sewed / sewn

동 **꿰매다, 바느질하다**

I **sewed** a button on my shirt.
나는 내 셔츠에 단추를 달았다.

0818

mention

[ménʃən]

동 **말하다, 언급하다**

He didn't **mention** anything about his family.
그는 자신의 가족에 관해 어떤 것도 언급하지 않았다.

0819

apart

[əpɑ́ːrt]

부 **떨어져, 따로**

Steve lived **apart** from his parents.
Steve는 그의 부모님과 떨어져 살았다.

0820

blond(e)

[blɑnd]

형 **금발의, 금발인**

Harry, a seventh grader, had short **blonde** hair.
7학년인 Harry는 짧은 금발이었다.

0821

asleep

[əslíːp]

형 **잠이 든, 자고 있는**

Do you know how to fall **asleep** easily?
당신은 쉽게 잠드는 방법을 아는가?

0822

awake

[əwéik]

awaked / awoke - awaked / awoken

형 **잠들지 않은, 깨어 있는** 동 **잠에서 깨다, 깨우다**

The boy was still **awake** when his father came back home.
그 소년은 아버지가 집에 왔을 때 여전히 잠들지 않고 있었다.

The noise **awoke** the sleeping child.
소음이 자고 있는 아이를 깨웠다.

0823

research

[risə́ːrtʃ / ríːsəːrtʃ]

명 연구, 조사 동 연구하다, 조사하다

I went to the library every day to finish my **research**.
나는 내 연구를 마치기 위해 매일 도서관에 갔다.

0824

leap

[liːp]

leaped / leapt - leaped / leapt

동 [1]뛰어오르다 [2]가슴이 뛰다 명 높이뛰기, 도약

The dancers **leap** across the floor.
무용수들은 마루를 가로질러 뛰어오른다.

Scottie's heart **leaped** when he saw her.
Scottie는 그녀를 봤을 때 가슴이 뛰었다.

0825

envelope

[énvəlòup]

명 봉투

In Vietnam, people give money to the birthday boy or girl in a red **envelope**.
베트남에서는 생일을 맞은 소년 또는 소녀에게 빨간 봉투에 돈을 담아 준다.

0826

passport

[pǽspɔːrt]

명 여권

May I see your **passport**, please?
여권을 보여 주시겠습니까?

0827

equal

[íːkwəl]

형 같은, 동등한

Divide it into three **equal** squares.
그것을 세 개의 똑같은 정사각형으로 나눠라.

0828

raw

[rɔː]

형 날것의, 가공하지 않은

I don't like **raw** fish.
나는 생선회를 좋아하지 않는다.

0829

lean

[liːn]

leaned / leant - leaned / leant

동 기대다

Don't **lean** against the wall.
벽에 기대지 마라.

0830

lower

[lóuər]

동 내리다, 낮추다

You must **lower** your voice in the library.
너는 도서관에서 목소리를 낮춰야 한다.

0831

silent

[sáilənt]

형 말을 안 하는, 조용한

The concert hall is dark and **silent**.
공연장은 어둡고 조용하다.

0832

silence

[sáiləns]

명 고요, 침묵

I think your **silence** means no.
나는 당신의 침묵이 부정을 의미한다고 생각한다.

0833

continent

[kántənənt]

명 대륙

The Amazon runs across the **continent** through seven countries.
아마존은 7개의 나라를 거쳐 대륙을 가로질러 흐른다.

0834

rhyme

[raim]

명 (시의) 운, 각운

Can you think of a **rhyme** for "computer"?
너는 '컴퓨터'에 어울리는 운을 생각해 낼 수 있니?

0835

major

[méidʒər]

명 주요한 명 전공 동 전공하다

Spanish is a **major** language in South America.
스페인어는 남아메리카의 주요 언어이다.

I **majored** in history at college.
나는 대학에서 역사를 전공했다.

0836

stare

[stɛər]

동 빤히 쳐다보다, 응시하다

Why are you **staring** at me like that?
너는 왜 그렇게 나를 빤히 쳐다보는 거니?

0837

bore

[bɔːr]

동 지루하게 만들다 명 지루한 일[사람]

His story never **bores** me.
그의 이야기는 나를 결코 지루하게 만들지 않는다.

0838

bored

[bɔːrd]

형 지루해하는

I use my phone when I feel **bored**.
나는 지루할 때 전화를 사용한다.

0839

tend

[tend]

동 ~하는 경향이 있다

When I am tired, I **tend** to forget things.
나는 피곤할 때 무언가를 잊어버리는 경향이 있다.

0840

duty

[djúːti]

명 [1]의무 [2]세금

It is a **duty** for parents to take care of their children.
자녀를 돌보는 것은 부모의 의무이다.

The **duty** on wine went up last month.
포도주에 부과된 세금이 지난달에 올랐다.

< Way to go!

정답 278쪽

영어는 우리말로, 우리말은 영어로 쓰세요.

01 raw
02 stare
03 violent
04 silent
05 sew
06 awake
07 remind
08 mention
09 leap
10 bore
11 research
12 equal
13 death
14 rhyme
15 major
16 떨어져, 따로
17 닦다; 닦기
18 기대다
19 대륙
20 잠이 든, 자고 있는
21 거절하다, 거부하다
22 의무; 세금
23 탄생, 출생
24 봉투
25 지루해하는
26 금발의, 금발인
27 ~하는 경향이 있다
28 고요, 침묵
29 여권
30 내리다, 낮추다

함께 외우는 어휘 쌍

우리말을 보고 알맞은 단어를 쓰세요.

31 ______ 죽음, 종말 — ______ 탄생, 출생
32 ______ 잠이 든 — ______ 잠들지 않은
33 ______ 말을 안 하는 — ______ 고요, 침묵
34 ______ 지루하게 만들다 — ______ 지루해하는

DAY 29

5회독 체크

0841

feature

[fíːtʃər]

명 특징 동 특징으로 삼다

An important **feature** of the car is its unique design.
그 차의 중요한 특징은 독특한 디자인이다.

0842

observe

[əbzə́ːrv]

동 보다, 관찰하다

Every night, he **observes** stars closely.
매일 밤 그는 별들을 자세히 관찰한다.

0843

rub

[rʌb]

동 문지르다, 비비다

Make sure you don't **rub** your eyes.
반드시 눈을 비비지 않도록 해라.

0844

design

[dizáin]

명 디자인 동 디자인하다

Can I see a ring with a simple **design**?
단순한 디자인의 반지를 볼 수 있을까요?

0845

designer

[dizáinər]

명 디자이너

When I grow up, I want to be a car **designer**.
나는 커서 자동차 디자이너가 되고 싶다.

0846

plenty

[plénti]

대 풍부[충분]한 양

It is important to exercise regularly and get **plenty** of sleep.
규칙적으로 운동하고 충분한 양의 수면을 취하는 것은 중요하다.

0847

palm

[pɑːm]

명 [1]손바닥 [2]야자나무

He looked at the coin in his **palm**.
그는 자신의 손바닥에 있는 동전을 보았다.

There are some nice **palm** trees on the beach.
해변에 멋진 야자나무가 몇 그루 있다.

0848

rate

[reit]

명 [1]비율 [2]요금

The death **rate** from diseases increased last year.
질병으로 인한 사망률은 작년에 증가했다.

The parking **rate** is two dollars an hour.
주차 요금은 시간당 2달러이다.

0849

servant

[sə́ːrvənt]

명 하인, 종업원

Your daughter will become my **servant** if you don't pay back the money.
만약 당신이 돈을 갚지 않으면 당신의 딸은 나의 하인이 될 것이다.

0850

general

[dʒénərəl]

형 일반적인, 전반적인 명 장군

What's the **general** opinion about the movie?
그 영화에 관한 일반적인 의견은 무엇인가?

The soldiers followed the **general**'s order.
군인들은 장군의 명령을 따랐다.

0851

generally

[dʒénərəli]

부 일반적으로, 대체로

Early street lights **generally** used candles or oil.
초기의 가로등은 일반적으로 양초 또는 기름을 사용했다.

0852

absent

[ǽbsənt]

형 결석한, 없는 동 결석하다

Chloe was **absent** from school because of a terrible headache.
Chloe는 심한 두통으로 인해 학교에 결석했다.

0853

arrest

[ərést]

동 체포하다 • 명 체포

Poor Joseph was **arrested**.

불쌍한 Joseph은 체포되었다.

0854

individual

[ìndivídʒuəl]

명 개인, 개개 형 개인의, 개개의

We should respect the rights of the **individual**.

우리는 개인의 권리를 존중해야 한다.

0855

alike

[əláik]

형 비슷한, 같은 부 똑같이

My twin brother and I look so **alike**.

나의 쌍둥이 남동생과 나는 꼭 닮았다.

0856

electricity

[ilektrísəti]

명 전기, 전력

His house has no **electricity** just like all the other houses in the village.

그의 집도 마을의 다른 모든 집들과 마찬가지로 전기가 안 들어온다.

0857

electric

[ilèktrik]

형 전기의

Electric cars are being tested.

전기 자동차가 시험되고 있다.

0858

fasten

[fǽsn]

동 단단히 고정하다, 매다

In the airplane, I **fastened** my seat belt.

비행기에서 나는 안전벨트를 맸다.

0859

passenger

[pǽsəndʒər]

명 승객

A **passenger** got off the bus.
한 승객이 버스에서 내렸다.

0860

account

[əkáunt]

명 1계좌 2설명 동 설명하다

I want to open a bank **account**.
나는 은행 계좌를 만들고 싶다.

He gave an **account** of what had really happened.
그가 정말로 무슨 일이 일어났었는지 설명해 주었다.

0861

risk

[risk]

명 위험 (요소)

Smoking is considered to be a **risk** to the health.
흡연은 건강의 위험 요소로 여겨진다.

0862

shell

[ʃel]

명 1단단한 껍질 2조가비

Mom found some eggs with cracked **shells**.
엄마는 껍질이 깨진 달걀 몇 개를 발견하셨다.

He picked up **shells** on the beach.
그는 해변에서 조가비를 주웠다.

0863

surface

[sə́ːrfis]

명 표면

I heard the oceans cover about 70% of the earth's **surface**.
나는 바다가 지구 표면의 약 70%를 차지한다고 들었다.

0864

double

[dʌ́bl]

형 1두 배의 22인용의 명 두 배

I'd like some with **double** cheese, please.
저는 치즈가 두 배 들어간 것으로 주세요.

I want to reserve a **double** room this weekend.
저는 이번 주말에 2인용 객실을 예약하고 싶습니다.

0865

law

[lɔː]

명 법(률)

The new **law** will become effective tomorrow.
새로운 법이 내일 효력을 가질 것이다.

0866

lawyer

[lɔ́ːjər / lɔ́iər]

명 변호사

Kevin studied hard to be a **lawyer**.
Kevin은 변호사가 되기 위해 열심히 공부했다.

0867

clever

[klévər]

형 영리한, 똑똑한

Crows are very **clever** birds.
까마귀는 아주 영리한 새다.

0868

praise

[preiz]

명 칭찬 동 칭찬하다

They **praised** him for his hard work.
그들은 그의 노고를 칭찬했다.

0869

entrance

[éntrəns]

명 1입구, 문 2입학

Please enter the main **entrance** of the building.
건물의 정문으로 들어오세요.
I took the **entrance** exam on Thursday.
나는 목요일에 입학시험을 보았다.

0870

author

[ɔ́ːθər]

명 작가, 저자

George Orwell is the **author** of *Animal Farm*.
조지 오웰은 '동물 농장'의 저자이다.

바로 테스트

< Way to go!

정답 279쪽

영어는 우리말로, 우리말은 영어로 쓰세요.

01 account
02 fasten
03 alike
04 absent
05 palm
06 general
07 shell
08 electric
09 plenty
10 design
11 entrance
12 individual
13 double
14 observe
15 lawyer
16 승객
17 특징(으로 삼다)
18 작가, 저자
19 디자이너
20 영리한, 똑똑한
21 비율; 요금
22 일반적으로, 대체로
23 법(률)
24 전기, 전력
25 칭찬(하다)
26 표면
27 문지르다, 비비다
28 위험 (요소)
29 체포(하다)
30 하인, 종업원

함께 외우는 어휘 쌍

우리말을 보고 알맞은 단어를 쓰세요.

31 ______ 디자인(하다) — ______ 디자이너
32 ______ 일반적인, 전반적인 — ______ 일반적으로, 대체로
33 ______ 전기, 전력 — ______ 전기의
34 ______ 법(률) — ______ 변호사

DAY 30

5회독 체크

0871

peace

[piːs]

명 평화

After the war, people realized the importance of **peace**.
전쟁 뒤에 사람들은 평화의 중요성을 깨달았다.

0872

peaceful

[píːsfəl]

형 평화로운

The sky is red, and everything is **peaceful**.
하늘은 붉고, 모든 것은 평화롭다.

0873

fable

[féibl]

명 우화

An old woman is telling some interesting **fables** to her grandson.
한 노부인이 손자에게 몇몇 재미있는 우화를 이야기해 주고 있다.

0874

method

[méθəd]

명 방법

Building a 3D printed house is faster than building a house with traditional **methods**.
3D 프린터로 출력된 집을 짓는 것이 전통적인 방법으로 집을 짓는 것보다 더 빠르다.

0875

victory

[víktəri]

명 승리

His homerun led his team to a **victory**.
그의 홈런이 팀을 승리로 이끌었다.

0876

punish

[pʌ́niʃ]

동 벌주다, 처벌하다

The teacher said that she would **punish** any student for using the word.
선생님은 그 말을 쓰는 어떤 학생이라도 벌을 주겠다고 말했다.

0877

spoil

[spɔil]

spoiled / spoilt -spoiled / spoilt

동 망치다

Too many cooks **spoil** the soup.
너무 많은 요리사가 수프를 망친다. (사공이 많으면 배가 산으로 간다.)

0878

treat

[triːt]

동 [1]대하다 [2]치료하다

Mom **treats** me like a baby.
엄마는 나를 아기처럼 대하신다.

He does his best to **treat** sick animals.
그는 아픈 동물들을 치료하기 위해 최선을 다한다.

0879

treatment

[tríːtmənt]

명 [1]대우 [2]치료

Students receive fair **treatment**.
학생들은 공정한 대우를 받는다.

He needed hospital **treatment** for a burn.
그는 화상에 대한 병원 치료가 필요했다.

0880

require

[rikwáiər]

동 요구하다, 필요로 하다

Taking care of children **requires** a lot of patience.
아이들을 돌보는 것은 많은 인내심을 필요로 한다.

0881

mild

[maild]

형 [1]가벼운, 순한 [2]온화한

I have a **mild** headache.
나는 가벼운 두통이 있다.

The weather in April is warm and **mild**.
4월의 날씨는 따뜻하고 온화하다.

0882

citizen

[sítəzən]

명 시민, 주민

Global **citizens** are people who try to understand different cultures.
세계 시민은 다른 문화를 이해하려고 노력하는 사람들이다.

0883

delight

[diláit]

명 기쁨 동 기쁘게 하다

She laughed with **delight** when her grandchild was born.
그녀는 손주가 태어났을 때 기뻐서 웃었다.

0884

dawn

[dɔːn]

명 새벽 동 (하루나 한 시대가) 밝다

He must find the answer before **dawn**.
그는 새벽이 오기 전에 답을 찾아야 한다.

A new age had **dawned**.
새 시대가 밝았다.

0885

select

[silékt]

동 선택하다, 선발하다

First, **select** a movie and a showtime.
우선 영화와 상영 시간을 선택해라.

0886

succeed

[səksíːd]

동 성공하다

I finally **succeeded** in climbing Mt. Everest.
나는 마침내 에베레스트산 등반에 성공했다.

0887

success

[səksés]

명 성공

His idea became a big **success**.
그의 아이디어는 큰 성공을 거두었다.

0888

successful

[səksésfəl]

형 성공한, 성공적인

Our food waste-reducing campaign was **successful**.
우리의 음식물 쓰레기 줄이기 캠페인은 성공적이었다.

0889

instant

[ínstənt]

형 즉각적인, 즉석의

Many kinds of **instant** foods are not good for your health.
많은 종류의 즉석 식품이 당신의 건강에 좋지 않다.

0890

surround

[səráund]

동 둘러싸다

Trees and flowers **surround** the house.
나무들과 꽃들이 그 집을 둘러싸고 있다.

0891

disappoint

[dìsəpɔ́int]

동 실망시키다

I'm sorry to **disappoint** you.
당신을 실망시켜 드려서 죄송합니다.

0892

disappointed

[dìsəpɔ́intid]

형 실망한

Amy was **disappointed** at the test results.
Amy는 시험 결과에 실망했다.

0893

disappointing

[dìsəpɔ́intiŋ]

형 실망스러운

The movie was so **disappointing**.
그 영화는 무척 실망스러웠다.

0894

wander

[wɑ́ndər]

동 돌아다니다, 헤매다

Tourists **wander** through the old part of the city.
여행자들은 그 도시의 오래된 지역을 돌아다닌다.

0895

regret

[rigrét]

동 후회하다 명 후회

I don't **regret** my choice.
나는 내 선택을 후회하지 않는다.

0896

germ

[dʒəːrm]

명 세균

It is impossible to see **germs** with your eyes.
눈으로 세균을 보는 것은 불가능하다.

0897

laundry

[lɔ́ːndri]

명 세탁(물), 세탁소

Every Sunday morning, I do the **laundry**.
매주 일요일 아침에 나는 빨래를 한다.

0898

prison

[prízn]

명 감옥, 교도소

He left **prison** last week.
그는 감옥에서 지난주에 나왔다.

0899

shut

[ʃʌt]

shut - shut

동 닫히다, 닫다

Mom **shuts** the windows at night.
엄마는 밤에 창문을 닫으신다.

0900

doubt

[daut]

동 의심하다 명 의심

I don't **doubt** that Emily will come.
나는 Emily가 올 것을 의심하지 않는다.

영어는 우리말로, 우리말은 영어로 쓰세요.

01 disappoint
02 instant
03 require
04 success
05 wander
06 germ
07 disappointed
08 surround
09 prison
10 regret
11 laundry
12 succeed
13 dawn
14 peace
15 treat
16 가벼운, 순한; 온화한
17 실망스러운
18 성공한, 성공적인
19 기쁨; 기쁘게 하다
20 대우; 치료
21 닫히다, 닫다
22 우화
23 선택하다, 선발하다
24 망치다
25 승리
26 평화로운
27 시민, 주민
28 의심(하다)
29 벌주다, 처벌하다
30 방법

함께 외우는 어휘 쌍

우리말을 보고 알맞은 단어를 쓰세요.

31 ______ 평화 — ______ 평화로운

32 ______ 대하다; 치료하다 — ______ 대우; 치료

33 ______ 성공 — ______ 성공한, 성공적인

34 ______ 실망한 — ______ 실망스러운

Idioms in Use DAY 26-30

DAY 26 0770

be worth -ing

~할 가치가 있다

His new novel **is worth reading**.
그의 새 소설은 읽을 가치가 있다.

DAY 26 0776

be supposed to

~하기로 되어 있다, ~해야 한다

You **are supposed to** be there by 3 o'clock.
당신은 그곳에 3시까지 가야 한다.

DAY 28 0812

remind ~ of ...

~에게 …을 떠올리게 하다

Earth Hour **reminds** people **of** our environmental problems.
어스아워(Earth Hour: 지구촌 전등 끄기)는 사람들에게 우리의 환경 문제들을 떠올리게 한다.

DAY 29 0850

in general

보통, 일반적으로

In general, children like to read cartoons.
일반적으로 아이들은 만화 읽는 것을 좋아한다.

DAY 30 0886

succeed in

~에 성공하다

The astronaut **succeeded in** his mission.
그 우주 비행사는 임무에 성공했다.

Word Puzzle

정답 279쪽

Find the words.

F	P	I	N	D	I	V	I	D	U	A	L	P
F	T	S	A	Q	C	N	T	E	L	Q	Q	E
C	C	O	H	U	I	V	N	H	B	H	L	A
R	E	X	S	E	R	W	E	O	M	B	M	T
E	L	C	I	T	L	Q	I	A	I	M	N	M
C	E	E	N	B	Q	U	C	S	V	A	C	O
O	S	N	U	A	T	M	N	S	X	J	U	B
M	T	X	P	H	R	O	A	Q	A	O	R	S
M	F	D	R	H	P	T	F	Z	U	R	I	E
E	D	I	S	S	F	D	N	B	H	C	O	R
N	R	L	E	P	P	T	R	E	E	Z	U	V
D	D	R	Y	O	Y	Y	L	P	P	U	S	E
I	E	S	U	F	E	R	S	M	V	H	H	V

major 주요한; 전공(하다)	punish 벌주다	select 선택하다
curious 궁금한	ancient 고대의	refuse 거절하다
entrance 입구; 입학	observe 관찰하다	supply 공급(하다)
recommend 추천하다	responsible 책임지고 있는	individual 개인(의)

DAY 31

5회독 체크

0901

force

[fɔːrs]

명 힘, 물리력 동 ~을 강요하다

The tree was broken by the **force** of the strong wind.
나무가 강풍에 의해 부러졌다.

My parents never **force** me to study.
나의 부모님은 내게 공부하라고 절대 강요하지 않으신다.

0902

function

[fʌ́ŋkʃən]

명 기능 동 기능하다

The **function** of the red button is to stop.
빨간색 버튼의 기능은 멈추는 것이다.

0903

court

[kɔːrt]

명 1경기장, 코트 2법정, 법원

There is a tennis **court** at the park.
공원에 테니스 코트가 있다.

The judge entered the **court**.
판사가 법정에 들어왔다.

0904

shame

[ʃeim]

명 1부끄러움 2유감

She turned red with **shame**.
그녀는 부끄러움에 얼굴이 빨개졌다.

It is a **shame** that I couldn't see her.
내가 그녀를 보지 못한 것이 유감이다.

0905

link

[liŋk]

동 연결하다, 관련되다 명 연결, 관련(성)

The road **links** the two cities.
그 길은 두 도시를 연결한다.

0906

spot

[spɑt]

명 1점, 반점 2장소, 지점

He has a black **spot** in the shape of a star.
그에게는 별 모양의 검은 점이 있다.

It has special **spots** to take selfies.
그곳에는 셀카를 찍을 특별한 장소가 있다.

0907

string

[striŋ]

strung - strung

명 끈, 줄, 악기 현 동 (끈으로) 묶다

Can you tie the package up with **string**?
소포를 끈으로 묶어 주겠니?

0908

action

[ǽkʃən]

명 행동, 동작

Your kindness and **actions** can change someone else's life.
당신의 친절과 행동들이 다른 누군가의 삶을 바꿀 수 있다.

0909

activity

[æktívəti]

명 움직임, 활동

Playing badminton is my favorite free time **activity**.
배드민턴을 치는 것은 내가 가장 좋아하는 여가 활동이다.

0910

active

[ǽktiv]

형 활동적인, 적극적인

There are a lot of **active** seniors who share their knowledge.
지식을 나누는 활동적인 어르신들이 많이 있다.

0911

diligent

[dílidʒənt]

형 근면한, 성실한

I am not **diligent** and I put things off.
나는 근면하지 않고 일들을 미룬다.

0912

unfortunately

[ʌnfɔ́ːrtʃənətli]

부 불행히도, 유감스럽게도

Unfortunately, I didn't have enough time.
불행히도 나에게는 충분한 시간이 없었다.

0913

bury

[béri]

동 **묻다, 매장하다**

He **buried** his treasure in the yard.
그는 마당에 그의 보물을 묻었다.

0914

dig

[dig]

dug - dug

동 **파다, 캐다**

Dogs like to **dig** and bury their food.
개들은 땅을 파서 그들의 먹이를 묻어 놓는 것을 좋아한다.

0915

sour

[sauər]

형 **(맛이) 신**

These lemons are very **sour**.
이 레몬들은 무척 시다.

0916

trade

[treid]

명 **거래, 무역** 동 **거래하다, 무역하다**

We need some cash to **trade** things.
우리는 물건을 거래하기 위한 현금이 좀 필요하다.

0917

fortune

[fɔ́ːrtʃən]

명 **[1](행)운 [2]재산, 부**

William won first prize thanks to good **fortune**.
William은 운이 좋았던 덕분에 1등 상을 받았다.

They lost all their **fortune**.
그들은 그들의 전 재산을 잃었다.

0918

hunger

[hʌ́ŋgər]

명 **배고픔, 굶주림**

Many people are dying of **hunger**.
많은 사람들이 굶주림으로 인해 죽어 가고 있다.

0919

crime

[kraim]

명 범죄

Mr. Reese took her to the scene of the **crime**.
Reese 씨는 그녀를 범죄 현장에 데려갔다.

0920

poison

[pɔ́izn]

명 독 동 독살하다

Some fish have a **poison**.
어떤 물고기들은 독을 가지고 있다.

The king was **poisoned**.
그 왕은 독살당했다.

0921

bomb

[bɑm]

명 폭탄 동 폭파하다, 폭격하다

The plane dropped a **bomb** on the city.
그 비행기가 도시에 폭탄을 떨어뜨렸다.

0922

value

[vǽljuː]

명 가치 동 소중하게 여기다

I wanted to show people the **value** of the book.
나는 사람들에게 그 책의 가치를 보여 주고 싶었다.

The coach **valued** their efforts.
코치는 그들의 노력을 소중하게 여겼다.

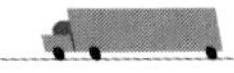

0923

valuable

[vǽljuəbl]

형 소중한, 값비싼

She learned a **valuable** lesson.
그녀는 소중한 교훈을 배웠다.

0924

obvious

[ɑ́bviəs]

형 분명한, 명백한

We should always question **obvious** things.
우리는 명백한 것들에 항상 의문을 가져야 한다.

0925

illegal

[ilíːgəl]

형 불법의, 불법적인

It is **illegal** to sell cigarettes to teenagers.
십 대들에게 담배를 판매하는 것은 불법이다.

0926

chase

[tʃeis]

동 쫓아가다, 추구하다 명 추적

Cats like to **chase** mice.
고양이는 쥐를 쫓아가는 것을 좋아한다.

0927

deliver

[dilívər]

동 배달하다, 전하다

Derek **delivers** newspapers every morning.
Derek은 매일 아침 신문을 배달한다.

0928

delivery

[dilívəri]

명 배달, 전달

Please send this package by special **delivery**.
이 소포를 특별 배송으로 보내 주세요.

0929

solar

[sóulər]

형 [1]태양의 [2]태양열을 이용한

Mars is the second smallest planet in the **solar** system.
화성은 태양계에서 두 번째로 작은 행성이다.

He uses **solar** energy to heat his house.
그는 그의 집을 난방하기 위해서 태양열 에너지를 사용한다.

0930

target

[tάːrgit]

명 목표, 표적 동 목표로 삼다, 표적으로 삼다

His **target** is winning a gold medal in the Olympics.
그의 목표는 올림픽에서 금메달을 따는 것이다.

< Way to go!

정답 280쪽

영어는 우리말로, 우리말은 영어로 쓰세요.

01 unfortunately
02 trade
03 bury
04 court
05 chase
06 target
07 force
08 spot
09 string
10 activity
11 delivery
12 bomb
13 valuable
14 link
15 solar
16 배고픔, 굶주림
17 분명한, 명백한
18 (맛이) 신
19 (행)운; 재산, 부
20 기능(하다)
21 부끄러움; 유감
22 활동적인, 적극적인
23 범죄
24 배달하다, 전하다
25 독; 독살하다
26 가치; 소중하게 여기다
27 파다, 캐다
28 행동, 동작
29 근면한, 성실한
30 불법의, 불법적인

함께 외우는 어휘 쌍

우리말을 보고 알맞은 단어를 쓰세요.

31 ______ 움직임, 활동 — ______ 활동적인, 적극적인

32 ______ 묻다, 매장하다 — ______ 파다, 캐다

33 ______ 소중하게 여기다 — ______ 소중한, 값비싼

34 ______ 배달하다, 전하다 — ______ 배달, 전달

DAY 32

5회독 체크

0931

universe

[jú:nivə̀:rs]

명 우주

Earth is not the center of the **universe**.
지구는 우주의 중심이 아니다.

0932

comment

[kάment]

명 논평 동 논평하다

Leave nice **comments** on other people's selfies.
다른 사람들의 셀카에 좋은 평을 남겨라.

0933

concern

[kənsə́:rn]

명 걱정 동 걱정하게 만들다

His only **concern** is his family.
그의 유일한 걱정은 그의 가족이다.

0934

attend

[əténd]

동 [1]참석하다 [2]~에 다니다 [3]주의를 기울이다

He will **attend** the meeting tomorrow.
그는 내일 회의에 참석할 것이다.

She couldn't **attend** to a word her teacher spoke.
그녀는 선생님께서 하시는 말씀에 주의를 기울일 수 없었다.

0935

attention

[əténʃən]

명 주의, 주목

May I have your **attention**, please?
주목해 주시겠습니까?

0936

mud

[mʌd]

명 진흙

People used **mud** bricks to build their houses in Santa Fe, USA.
미국의 Santa Fe에서 사람들은 집을 짓기 위해 진흙 벽돌을 사용했다.

0937

tube

[tʃu:b]

명 관, 통

The water passes through this **tube**.

물은 이 관을 통해 지나간다.

0938

voyage

[vɔ́iidʒ]

명 여행, 항해 동 여행하다, 항해하다

Life is often compared to a **voyage**.

인생은 흔히 여행에 비유된다.

0939

plain

[plein]

형 ¹명백한 ²간소한 명 평원

The facts are **plain** and simple.

그 사실들은 명백하고도 단순하다.

I saw many animals on the **plains**.

나는 평원에서 많은 동물들을 보았다.

0940

gap

[gæp]

명 틈, 격차

The age **gap** between them doesn't seem to matter.

그들 사이의 나이 차이는 중요해 보이지 않는다.

0941

justice

[dʒʌ́stis]

명 정의, 공정성

In the 1980s, many Koreans fought for **justice**.

1980년대에 많은 한국인들이 정의를 위해 싸웠다.

0942

nest

[nest]

명 둥지, 보금자리

The boys found a bird's **nest** in a tree.

남자아이들은 나무에서 새 둥지를 발견했다.

0943

public

[pʌ́blik]

형 대중의, 공공의 명 대중

Don't take selfies in hospitals or **public** restrooms.
병원이나 공공 화장실에서 셀카를 찍지 마라.

0944

private

[práivət]

형 사적인, 개인적인

He doesn't talk much about his **private** life.
그는 자신의 개인사에 관해 말을 많이 하지 않는다.

0945

abroad

[əbrɔ́ːd]

부 해외에(서), 해외로

Have you ever traveled **abroad**?
너는 해외로 여행을 가 본 적이 있니?

0946

pure

[pjuər]

형 순수한, 깨끗한

This crown is made of **pure** gold.
이 왕관은 순금으로 만들어진 것이다.

0947

tax

[tæks]

명 세금

Centuries ago in southern Italy, people who had a house without a roof paid lower **taxes**.
수백 년 전 이탈리아 남부에서는 지붕 없는 집을 가진 사람들이 더 낮은 세금을 냈다.

0948

process

[prάses]

명 과정, 절차 동 가공하다, 처리하다

This **process** is repeated again and again.
이 과정은 계속해서 반복된다.

Your order is being **processed**.
당신의 주문이 처리되고 있습니다.

0949

sum

[sʌm]

명 합계, 금액

The **sum** of 10 and 15 is 25.
10과 15의 합은 25이다.

0950

exit

[égzit / éksit]

명 출구 동 나가다

Leave the station by **exit** 5.
5번 출구로 역을 나가세요.

Please **exit** the mall by 10.
10시까지 쇼핑몰에서 나가 주세요.

0951

behave

[bihéiv]

동 [1]행동하다 [2]예의 바르게 행동하다

The boy **behaved** very badly toward his brother.
그 소년은 그의 형에게 아주 못되게 행동했다.

You should **behave** yourself at the party.
너는 파티에서 예의 바르게 행동해야 한다.

0952

behavior

[bihéivjər]

명 행동

His bad **behavior** made his parents angry.
그의 나쁜 행동이 부모님을 화나게 했다.

0953

fuel

[fjú:əl]

명 연료 동 연료를 공급하다

We don't have enough **fuel**.
우리는 연료가 충분하지 않다.

0954

hardly

[hɑ́:rdli]

부 거의 ~ 않다

I was so embarrassed that I could **hardly** speak.
나는 너무 당황해서 말을 거의 할 수가 없었다.

0955

persuade

[pərswéid]

동 설득하다

The salesman finally **persuaded** him to buy the car.
판매원은 마침내 그가 그 차를 사도록 설득했다.

0956

extreme

[ikstríːm]

형 극도의, 극단적인

The **extreme** cold can't stop us from going up the mountain.
매서운 추위는 우리가 산에 오르는 것을 멈추게 할 수 없다.

0957

pill

[pil]

명 알약

Grandmother took a **pill** before she went to bed.
할머니는 주무시기 전에 알약을 드셨다.

0958

sweat

[swet]

명 땀 동 땀을 흘리다

The worker wiped the **sweat** off his face.
작업자는 얼굴의 땀을 닦아 냈다.

0959

base

[beis]

명 기초, 토대 동 기초를 두다

The report is at the **base** of his book.
그 보고서는 그의 책의 기초가 된다.

0960

basic

[béisik]

형 기본의, 기초의

Here are **basic** tips for a science experiment.
여기에 과학 실험을 위한 기초적인 조언이 있다.

영어는 우리말로, 우리말은 영어로 쓰세요.

01 pure
02 plain
03 mud
04 behave
05 abroad
06 exit
07 process
08 justice
09 public
10 attend
11 gap
12 hardly
13 pill
14 tax
15 basic
16 논평(하다)
17 행동
18 기초, 토대; 기초를 두다
19 땀(을 흘리다)
20 우주
21 여행(하다), 항해(하다)
22 걱정(하게 만들다)
23 사적인, 개인적인
24 합계, 금액
25 관, 통
26 극도의, 극단적인
27 연료(를 공급하다)
28 주의, 주목
29 둥지, 보금자리
30 설득하다

함께 외우는 어휘 쌍

우리말을 보고 알맞은 단어를 쓰세요.

31 ______ 주의를 기울이다 — ______ 주의, 주목
32 ______ 대중의, 공공의 — ______ 사적인, 개인적인
33 ______ 행동하다 — ______ 행동
34 ______ 기초(를 두다) — ______ 기본의, 기초의

DAY 33

5회독 체크

0961

device

[diváis]

명 장치, 기구

With new inventions and **devices**, our lives have changed.
새로운 발명품들과 기구들로 우리의 삶은 변화해 왔다.

0962

ceiling

[síːliŋ]

명 천장

The **ceiling** inside the building shone like the night sky with bright stars.
건물 안의 천장이 밝은 별이 있는 밤하늘처럼 빛났다.

0963

fail

[feil]

동 [1]실패하다 [2]불합격하다 명 낙제

I tried to go to bed early but **failed**.
나는 일찍 자려고 했지만 실패했다.
He **failed** more than 100 auditions.
그는 100번이 넘는 오디션에서 떨어졌다.

0964

failure

[féiljər]

명 실패

I was afraid of **failure**.
나는 실패가 두려웠다.

0965

cancel

[kǽnsəl]

동 취소하다

I'm sorry, but I'd like to **cancel** my order.
죄송하지만 주문을 취소하고 싶습니다.

0966

upstairs

[ʌ̀pstέərz]

명 위층 부 위층으로[에서]

He is **upstairs** in bed feeling bad.
그는 몸이 안 좋아서 위층에서 침대에 누워 있다.

0967

found

동 설립하다

[faund]

He **founded** his company in 2006.
그는 2006년에 자신의 회사를 설립했다.

0968

congratulate

동 축하하다

[kəngrǽtʃulèit]

He **congratulated** me on my birthday.
그는 나의 생일을 축하해 주었다.

0969

congratulation

명 축하 (인사)

[kəngrætʃuléiʃən]

I heard your baseball team won the match. **Congratulations**!
나는 너의 야구팀이 경기에서 이겼다고 들었어. 축하해!

0970

swing

동 흔들리다, 흔들다 명 그네

[swiŋ]

swung - swung

A sign **swung** in the wind.
표지판이 바람에 흔들렸다.

People in wheelchairs can't get on the **swings** easily.
휠체어를 탄 사람들은 그네에 쉽게 오르지 못한다.

0971

condition

명 1상태 2조건

[kəndíʃən]

He is in no **condition** to go out.
그는 외출할 수 있는 상태가 아니다.

The workers worked in bad **conditions**.
노동자들은 나쁜 조건에서 일했다.

0972

meeting

명 회의, 모임

[míːtiŋ]

I need to finish the report before the **meeting** starts.
나는 회의가 시작되기 전에 보고서를 끝내야 한다.

0973

scientist

[sáiəntist]

명 과학자

These days, **scientists** are looking at Mars as a new home.
요즘에 과학자들은 화성을 새로운 거주지로 보고 있다.

0974

historian

[histɔ́:riən]

명 역사학자

The **historian** spent her whole life searching for Korean national treasures abroad.
그 역사학자는 외국에서 한국의 국보를 찾으며 일생을 보냈다.

0975

vet

[vet]

명 수의사

I think you have to take your dog to the **vet**.
나는 네가 개를 수의사에게 데려가야 한다고 생각한다.

0976

announcer

[ənáunsər]

명 방송 진행자, 아나운서

Why don't you be a sports **announcer**?
스포츠 아나운서가 되는 것이 어떠니?

0977

cloth

[klɔ:θ]

명 옷감, 천

We used **cloth** napkins to make less trash.
우리는 쓰레기를 덜 만들기 위해 천으로 된 냅킨을 사용했다.

0978

message

[mésidʒ]

명 전갈, 메시지

Write a **message** on the card.
카드에 메시지를 써라.

0979

rude

[ruːd]

형 예의 없는, 무례한

At first, I thought Koreans were **rude** because many people asked me my age.
처음에 나는 많은 사람들이 내 나이를 물어봐서 한국인들이 무례하다고 생각했다.

0980

polite

[pəláit]

형 예의 바른, 공손한

You should be **polite** to your guests.
너는 손님을 예의 바르게 대해야 한다.

0981

business

[bíznis]

명 1일, 업무 2사업

I have a **business** meeting every Monday.
나는 월요일마다 업무 회의가 있다.

He wants to expand his **business**.
그는 그의 사업을 확장하고 싶다.

0982

producer

[prədjúːsər]

명 생산자, 제작자

One of the world's largest **producers** of coffee is Brazil.
세계 최대의 커피 생산국 중 하나는 브라질이다.

0983

examination

[igzæmənéiʃən]

명 1시험 2조사, 검사

I am busy preparing for the **examination**.
나는 시험을 준비하느라 바쁘다.

Mom visited the hospital for an **examination**.
엄마는 검사를 받기 위해 병원에 방문하셨다.

0984

drawer

[drɔːr]

명 서랍

She put her phone in the **drawer**.
그녀는 그녀의 전화기를 서랍에 넣어 놓았다.

0985

except
[iksépt]

[전] **~을 제외하고는, ~ 외에는**

The restaurant is open every day **except** Monday.
그 식당은 월요일을 제외하고 매일 문을 연다.

0986

mystery
[místəri]

[명] **신비, 불가사의**

Stonehenge will remain a **mystery** for a long time.
스톤헨지는 오랫동안 불가사의로 남을 것이다.

0987

mysterious
[mistíəriəs]

[형] **신비한, 불가사의한**

The universe is beautiful and **mysterious**.
우주는 아름답고 신비하다.

0988

reuse
[rìːjúːz]

[동] **재사용하다**

Why don't we **reuse** used things?
우리가 중고 물품을 재사용하는 게 어때?

0989

passion
[pǽʃən]

[명] **열정**

He has a **passion** for music, especially hip-hop.
그는 음악, 특히 힙합에 열정을 가지고 있다.

0990

style
[stail]

[명] **1 방식 2 (옷 등의) 스타일**

He created a new **style** of art.
그는 예술의 새로운 방식을 창조했다.

Many people praised her beauty and **style**.
많은 사람들은 그녀의 아름다움과 스타일을 칭찬했다.

바로 테스트 < Way to go!

정답 280쪽

영어는 우리말로, 우리말은 영어로 쓰세요.

01 upstairs
02 rude
03 congratulation
04 cloth
05 mystery
06 meeting
07 style
08 swing
09 passion
10 business
11 except
12 historian
13 fail
14 cancel
15 device
16 상태; 조건
17 생산자, 제작자
18 과학자
19 실패
20 재사용하다
21 축하하다
22 수의사
23 천장
24 설립하다
25 예의 바른, 공손한
26 신비한, 불가사의한
27 방송 진행자, 아나운서
28 시험; 조사, 검사
29 전갈, 메시지
30 서랍

함께 외우는 어휘 쌍

우리말을 보고 알맞은 단어를 쓰세요.

31 ______ 실패하다 — ______ 실패
32 ______ 축하하다 — ______ 축하 (인사)
33 ______ 예의 없는, 무례한 — ______ 예의 바른, 공손한
34 ______ 신비, 불가사의 — ______ 신비한, 불가사의한

DAY 34

5회독 체크

0991

relate

[riléit]

동 관련시키다, 결부시키다

Don't try to **relate** the problem to me.
그 문제를 내게 결부시키려 하지 마.

0992

relationship

[riléiʃənʃìp]

명 관계

The **relationship** between the two countries became worse.
두 나라 사이의 관계가 더 나빠졌다.

0993

cycle

[sáikl]

명 1순환 2자전거 동 1순환하다 2자전거를 타다

Pollution can have a bad effect on the water **cycle**.
공해는 물의 순환에 악영향을 미칠 수 있다.

He **cycled** to the cinema.
그는 영화관에 자전거를 타고 갔다.

0994

rescue

[réskjuː]

명 구조 동 구조하다

I decided to stay by her until the **rescue** team came.
나는 구조 팀이 올 때까지 그녀의 곁에 있기로 결심했다.

0995

theme

[θiːm]

명 주제, 테마

The **theme** of the movie is happiness.
그 영화의 주제는 행복이다.

0996

transfer

[trænsfə́ːr]

동 1이동하다 2환승하다 명 1이동 2환승

Mr. Brown **transferred** to the sales department.
Brown 씨는 영업부로 이동했다.

I **transferred** to Line 1 at Seoul Station.
나는 서울역에서 1호선으로 환승했다.

0997

consume

[kənsúːm]

동 1소모하다 2먹다, 마시다

People **consume** too much paper every day.
사람들은 매일 너무 많은 종이를 소모한다.

She shouldn't **consume** caffeine for a week.
그녀는 일주일 동안 카페인을 섭취해서는 안 된다.

0998

injury

[índʒəri]

명 부상, 상처

You can avoid **injuries** and protect yourself.
당신은 부상을 피하고 자신을 보호할 수 있다.

0999

combination

[kɑ̀ːmbənéiʃən]

명 조합, 결합

Tex-Mex food is a **combination** of food from Texas and Mexico.
Tex-Mex 음식은 텍사스와 멕시코의 음식을 조합한 것이다.

1000

adventure

[ædvéntʃər]

명 모험

Tony is a young man who is looking for **adventure**.
Tony는 모험을 찾고 있는 청년이다.

1001

adventurous

[ædvéntʃərəs]

형 모험적인, 모험심이 강한

Icarus was brave and **adventurous**.
이카로스는 용감했고 모험심이 강했다.

1002

sensitive

[sénsətiv]

형 세심한, 민감한

Elephants' skin is very **sensitive**, and mud protects it from the sun.
코끼리의 피부는 무척 민감한데, 진흙은 태양으로부터 그것을 보호한다.

1003

frankly

[frǽŋkli]

부 솔직히

Frankly, I don't know his name.
솔직히 나는 그의 이름을 모른다.

1004

personality

[pə̀ːrsənǽləti]

명 성격, 인격

I think the job fits your **personality**.
나는 그 직업이 네 성격에 맞다고 생각한다.

1005

migrate

[máigreit]

동 이동하다, 이주하다

Birds that **migrate** or hunt at night find their way by natural light.
밤에 이동하거나 사냥하는 새들은 자연의 빛으로 길을 찾는다.

1006

freeze

[friːz]

froze - frozen

동 얼다, 얼리다

If you throw boiling water into the air in Antarctica, it **freezes**!
만약 당신이 남극에서 끓는 물을 공중에 뿌리면 그것은 언다!

1007

freezer

[fríːzər]

명 냉동고

Put the mixture in the **freezer** for about three hours.
혼합물을 냉동고에 약 3시간 동안 넣어 놓아라.

1008

participate

[pɑːrtísəpèit]

동 참가하다, 참여하다

Last summer we **participated** in the "Save the Earth" project.
지난여름 우리는 '지구 살리기' 프로젝트에 참여했다.

1009

appropriate

[əpróupriət]

형 적절한, 알맞은

Choose **appropriate** places to take selfies.
셀카를 찍기에 적절한 장소를 골라라.

1010

policy

[páləsi]

명 정책, 방침

The government announced a new **policy** on education.
정부는 교육에 관한 새 정책을 발표했다.

1011

option

[ápʃən]

명 선택(권)

Students have the **option** of going on a field trip.
학생들은 현장 학습을 가는 것에 대한 선택권을 가진다.

1012

despite

[dispáit]

전 ~에도 불구하고

Despite her age, her passion for art has never stopped.
그녀의 나이에도 불구하고, 예술을 향한 그녀의 열정은 결코 멈춘 적이 없다.

1013

furthermore

[fə́:rðərmɔ̀:r]

부 뿐만 아니라, 더욱이

I have to write a poem. **Furthermore**, I need to read it aloud to my class.
나는 시 한 편을 써야 한다. 뿐만 아니라 그것을 학급에 큰 소리로 읽어 주어야 한다.

1014

vision

[víʒən]

명 시력, 시야

Owls have good night **vision**.
올빼미는 밤눈이 밝다.

1015

analyze

[ǽnəlàiz]

동 **분석하다**

She **analyzed** the information to create the most useful bus routes.

그녀는 가장 유용한 버스 노선을 만들기 위해 정보를 분석했다.

1016

infection

[infékʃən]

명 **감염, 전염병**

He had a fever because of the **infection**.

그는 감염 때문에 열이 났다.

1017

describe

[diskráib]

동 **서술하다, 묘사하다**

I **described** the appearance of the thief to the police officer.

나는 경찰관에게 도둑의 생김새를 묘사해 주었다.

1018

description

[diskrípʃən]

명 **서술, 묘사**

The book has a short **description** of the battle.

그 책에는 전투에 관한 짧은 묘사가 있다.

1019

thrilling

[θríliŋ]

형 **흥분되는, 아주 신나는**

The end of the race was **thrilling**.

경주의 마지막은 흥미진진했다.

1020

gradually

[grǽdʒuəli]

부 **서서히**

She is **gradually** getting better.

그녀는 서서히 나아지고 있다.

< Way to go!

정답 281쪽

영어는 우리말로, 우리말은 영어로 쓰세요.

01 describe
02 participate
03 consume
04 analyze
05 freezer
06 transfer
07 rescue
08 relate
09 adventurous
10 thrilling
11 policy
12 theme
13 sensitive
14 frankly
15 cycle
16 성격, 인격
17 이동하다, 이주하다
18 선택(권)
19 시력, 시야
20 관계
21 얼다, 얼리다
22 조합, 결합
23 서술, 묘사
24 적절한, 알맞은
25 ~에도 불구하고
26 모험
27 감염, 전염병
28 부상, 상처
29 서서히
30 뿐만 아니라, 더욱이

함께 외우는 어휘 쌍

우리말을 보고 알맞은 단어를 쓰세요.

31 ________ 관련시키다 — ________ 관계
32 ________ 모험 — ________ 모험적인
33 ________ 얼다, 얼리다 — ________ 냉동고
34 ________ 서술하다 — ________ 서술, 묘사

DAY 35

5회독 체크

1021

logic

[ládʒik]

명 논리

We don't understand the **logic** behind his opinion.
우리는 그의 의견에 담긴 논리가 이해되지 않는다.

1022

bold

[bould]

형 [1]용감한 [2]굵은, 선명한

Her plan was **bold** and creative.
그녀의 계획은 용감하고 창의적이었다.
You can see the **bold** colors in her painting.
당신은 그녀의 그림에서 선명한 색들을 볼 수 있다.

1023

origin

[ɔ́:rədʒin / árədʒin]

명 근원, 기원

I'm reading a book about the **origin** of the universe.
나는 우주의 기원에 관한 책을 읽고 있다.

1024

original

[ərídʒənl]

형 원래의, 원본의 명 원본

My **original** plan was to leave the town.
내 원래 계획은 마을을 떠나는 것이었다.
I will keep the **original** of the file.
나는 그 파일의 원본을 보관할 것이다.

1025

poverty

[pávərti]

명 가난, 빈곤

Millions of people in the country live in **poverty**.
그 나라의 수백만 명의 사람들이 가난 속에 살고 있다.

1026

victim

[víktim]

명 피해자, 희생자

If you follow these steps, you will not be a **victim** of "bad" germs.
만약 이 단계를 따른다면 당신은 '나쁜' 세균의 희생자가 되지 않을 것이다.

1027

insert

[insə́ːrt]

동 끼우다, 넣다, 삽입하다

Mark **inserted** his card into the ticket machine.
Mark는 표 판매기에 그의 카드를 넣었다.

1028

wire

[waiər]

명 철사, 전선

He used the **wire** to hang the picture up on the wall.
그는 벽에 그림을 걸기 위해 철사를 사용했다.

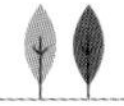

1029

wireless

[wáiərlis]

형 무선의 명 무선 (시스템)

Do you know how to use these **wireless** headphones?
너는 이 무선 헤드폰을 사용하는 방법을 아니?

1030

tribe

[traib]

명 부족, 종족

The Zulu is a **tribe** in South Africa.
줄루족은 남아프리카 공화국의 한 부족이다.

1031

multiply

[mʌ́ltəplài]

동 [1]증가[증식]하다, 증가[증식]시키다 [2]곱하다

The germs **multiply** in the body.
세균은 몸속에서 증식한다.

Multiply 2 by 9, and you get 18.
2에 9를 곱하면 18이 나온다.

1032

bare

[bɛər]

형 벌거벗은, 맨

They had no shoes so they played soccer in **bare** feet.
그들은 신발이 없어서 맨발로 축구를 했다.

1033

tide

[taid]

명 밀물과 썰물, 조수, 조류

They appear and disappear with every **tide**.
그것들은 조류 때마다 나타났다가 사라진다.

1034

honest

[ánist]

형 정직한, 솔직한

Parents want their children to be **honest**.
부모들은 그들의 자녀들이 정직하기를 바란다.

1035

honesty

[ánisti]

명 정직(성), 솔직함

There was a farmer who was famous for his **honesty**.
정직성으로 유명한 농부가 있었다.

1036

launch

[lɔːntʃ]

동 1시작하다 2출시하다

We have **launched** a campaign to raise money for children in need.
우리는 도움이 필요한 아이들을 위해 돈을 모으는 캠페인을 시작했다.

The company is planning to **launch** a new model next week.
그 회사는 다음 주에 새로운 모델을 출시하려고 계획 중이다.

1037

donate

[dóuneit]

동 기부하다, 기증하다

Many people **donated** money at the festival.
많은 사람들은 축제에서 돈을 기부했다.

1038

brief

[briːf]

형 짧은, 간단한

He had a **brief** conversation with his doctor.
그는 그의 의사와 짧은 대화를 나눴다.

1039

motivate

[móutəvèit]

동 **동기를 부여하다**

The teacher **motivated** us to work together.
선생님은 우리가 함께 일하도록 동기를 부여하셨다.

1040

bounce

[bauns]

동 **튀다** 명 **튐, 튀어 오름**

She **bounced** the football to Wilfrid.
그녀는 Wilfrid에게 축구공을 튀겼다.

1041

interview

[íntərvjùː]

동 **면접을 보다, 인터뷰를 하다** 명 **면접, 인터뷰**

She is going to **interview** teachers for the school newspaper.
그녀는 학교 신문을 위해 선생님들을 인터뷰할 것이다.

1042

capture

[kǽptʃər]

명 **포획** 동 **포획하다, 포착하다**

That was a great way to **capture** all the special moments.
그것은 모든 특별한 순간들을 포착하는 훌륭한 방법이었다.

1043

humor

[hjúːmər]

명 **익살, 유머**

Do you have a good sense of **humor**?
당신은 유머 감각이 좋은가?

1044

humorous

[hjúːmərəs]

형 **재미있는, 유머가 넘치는**

He is **humorous** and kind.
그는 재미있고 친절하다.

1045

celebrity

[səlébrəti]

명 유명 인사

I saw some **celebrities** at the party.
나는 파티에서 몇몇 유명 인사들을 보았다.

1046

storage

[stɔ́:ridʒ]

명 저장(고)

The house has **storage** rooms on the second floor.
그 집의 2층에는 저장고가 있다.

1047

fake

[feik]

형 가짜의 명 위조품 동 위조하다

The police found **fake** bills.
경찰은 위조지폐를 발견했다.

The painting is a **fake**.
그 그림은 위조품이다.

1048

seal

[si:l]

동 봉인하다 명 [1]도장, 직인 [2]바다표범

You should **seal** the envelope.
당신은 봉투를 봉인해야 한다.

The president's **seal** is on the letter.
대통령의 직인이 그 편지에 있다.

1049

appetizer

[ǽpətàizər]

명 전채(식욕을 돋우기 위해 식사 전에 나오는 간단한 요리)

We usually eat a salad as an **appetizer**.
우리는 보통 전채로 샐러드를 먹는다.

1050

leftover

[léftouvər]

명 남은 음식 형 남은

You should not throw away any **leftovers**.
너는 남은 음식을 버려서는 안 된다.

바로 테스트

< Way to go!

정답 281쪽

영어는 우리말로, 우리말은 영어로 쓰세요.

01 celebrity
02 insert
03 fake
04 wireless
05 tribe
06 leftover
07 honest
08 bounce
09 original
10 multiply
11 capture
12 bold
13 seal
14 humorous
15 interview
16 피해자, 희생자
17 짧은, 간단한
18 동기를 부여하다
19 근원, 기원
20 밀물과 썰물, 조수, 조류
21 익살, 유머
22 기부하다, 기증하다
23 벌거벗은, 맨
24 논리
25 철사, 전선
26 정직(성), 솔직함
27 저장(고)
28 전채
29 가난, 빈곤
30 시작하다; 출시하다

함께 외우는 어휘 쌍

우리말을 보고 알맞은 단어를 쓰세요.

31 ______ 근원, 기원 — ______ 원래의, 원본의; 원본
32 ______ 철사, 전선 — ______ 무선의; 무선(시스템)
33 ______ 정직한, 솔직한 — ______ 정직(성), 솔직함
34 ______ 익살, 유머 — ______ 재미있는

Idioms in Use DAY 31-35

DAY 32 0933

be concerned about

~을 걱정하다

There is nothing to **be concerned about**.
걱정할 것이 아무것도 없다.

DAY 32 0935

pay attention to

~에 유의하다, 주목하다

He could not **pay attention to** the teacher during the class.
그는 수업 시간에 선생님의 말씀에 주의를 기울이지 못했다.

DAY 32 0943

in public

공개적으로, 사람들 앞에서

She is too shy to speak **in public**.
그녀는 수줍음이 너무 많아서 사람들 앞에서 말을 못한다.

DAY 32 0959

be based on

~에 기초하다, 근거하다

A news article must **be based on** facts.
뉴스 기사는 사실에 근거해야 한다.

DAY 35 1034

to be honest

솔직히 말하자면

To be honest, I was really scared at first.
솔직히 말하자면 처음에 나는 아주 무서웠다.

Crossword Puzzle

DAY 31-35

정답 281쪽

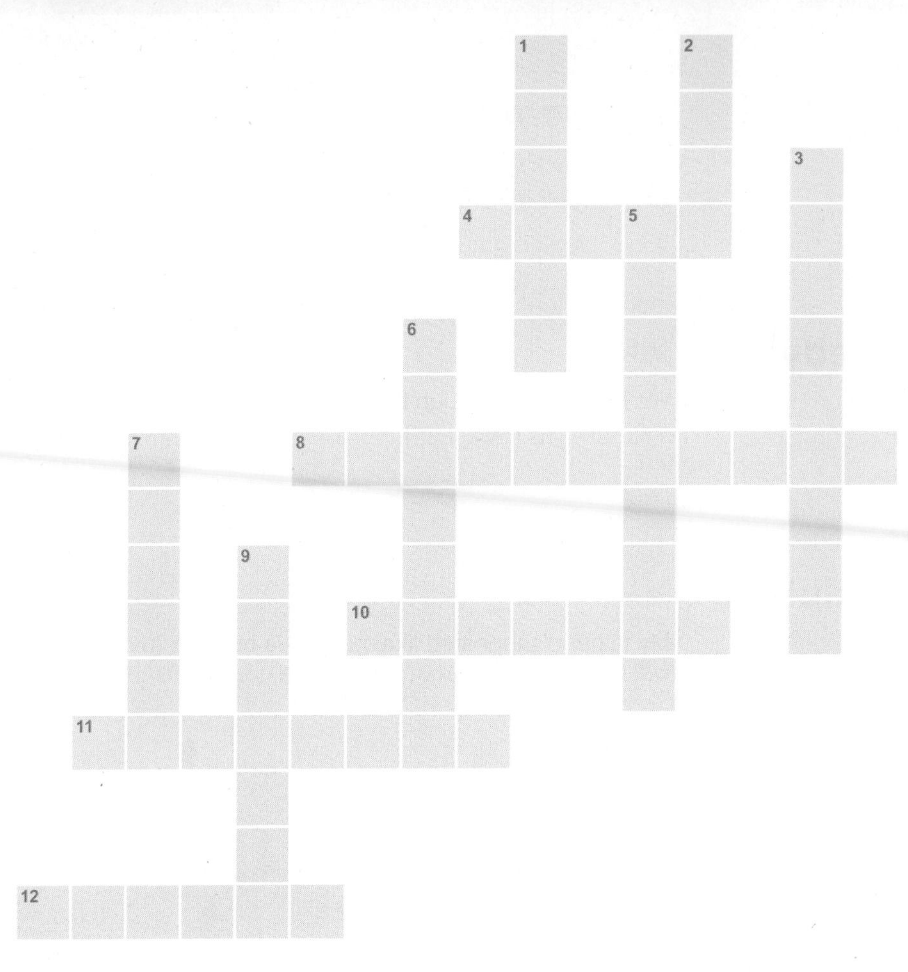

ACROSS

4 힘, 물리력; ~을 강요하다

8 참가하다, 참여하다

10 열정

11 남은 (음식)

12 목표(로 삼다), 표적(으로 삼다)

DOWN

1 해외에(서), 해외로

2 순수한, 깨끗한

3 세심한, 민감한

5 상태; 조건

6 설득하다

7 기부하다, 기증하다

9 (행)운; 재산, 부

DAY 36

5회독 체크

1051

gorgeous

[gɔ́ːrdʒəs]

형 **아주 멋진, 화려한**

The peacock's feathers are colorful, big, and **gorgeous**.
공작새의 깃털은 알록달록하고, 크고, 아주 멋지다.

1052

tragedy

[trǽdʒədi]

명 **비극**

We have to get through this **tragedy**.
우리는 이 비극을 극복해야 한다.

1053

invisible

[invízəbl]

형 **보이지 않는**

My father disappeared like magic. He became **invisible**!
나의 아버지가 마술처럼 사라지셨다. 그는 보이지 않게 되었다!

1054

digest

[didʒést / daidʒést]

동 **소화하다, 소화시키다**

Our bodies do not **digest** food well at night.
우리 몸은 밤에 음식을 잘 소화시키지 못한다.

1055

loss

[lɔːs]

명 **상실, 손실, 분실**

My grandfather suffered from **loss** of memory.
나의 할아버지는 기억 상실로 고생하셨다.

1056

optimist

[ɑ́ptəmist]

명 **낙천주의자, 낙관론자**

Optimists think we can solve the problem soon.
낙천주의자들은 우리가 문제를 곧 해결할 수 있다고 여긴다.

1057

connect

[kənékt]

동 **연결하다, 접속하다**

She received phone calls and **connected** them to the correct people.
그녀는 전화를 받아 알맞은 사람들에게 연결해 주었다.

1058

connection

[kənékʃən]

명 **연결, 접속**

Please check your Internet **connection** and try again.
인터넷 연결을 확인하고 다시 시도해 주세요.

1059

pilot

[páilət]

명 **(비행기) 조종사**

A **pilot** from the United States first flew over Angel Falls in 1933.
미국의 한 비행기 조종사가 1933년에 처음으로 앙헬폭포(Angel Falls)를 넘어 비행했다.

1060

topic

[tápik]

명 **주제, 화제**

Did you choose a **topic** for your science project?
너는 과학 프로젝트의 주제를 골랐니?

1061

worm

[wəːrm]

명 **벌레**

My turtle eats **worms**.
나의 거북이는 벌레를 먹는다.

1062

according

[əkɔ́ːrdiŋ]

부 **~에 따르면, ~을 따라서**

According to the article, the soccer match between the two countries is canceled.
기사에 따르면 두 나라 간의 축구 경기가 취소되었다.

1063

amuse

[əmjúːz]

동 즐겁게 하다

His song **amused** the audiences.
그의 노래가 청중들을 즐겁게 했다.

1064

animation

[æ̀nəméiʃən]

명 [1]생기, 활기 [2]만화 영화

Mr. Parker spoke with great **animation**.
Parker 씨는 무척 생기 있게 말했다.

The main characters of the **animation** are bears.
그 만화 영화의 주요 등장인물들은 곰이다.

1065

antibody

[ǽntibɑ̀ːdi]

명 항체

The B cells fight the germs with **antibodies**.
B 세포는 항체로 세균과 싸운다.

1066

bacteria

[bæktíəriə]

단 **bacterium**

명 박테리아

Some **bacteria** are bad for your health.
몇몇 박테리아는 당신의 건강에 나쁘다.

1067

contain

[kəntéin]

동 ~이 들어 있다, 포함하다

Peppers **contain** a lot of vitamin C.
고추에는 많은 비타민 C가 들어 있다.

1068

container

[kəntéinər]

명 그릇, 용기

Jonny opened a milk **container** and shook it.
Jonny는 우유갑을 열어서 흔들었다.

1069

beard

[biərd]

명 (턱)수염

They told him to stop growing a **beard**.
그들은 그에게 턱수염 기르는 것을 멈추라고 말했다.

1070

bin

[bin]

명 (쓰레기)통

Old books are collected in the recycling **bin**.
낡은 책들은 재활용 수거함에 수거된다.

1071

blackout

[blǽkàut]

명 정전

In 2002, there were many **blackouts** in his town in Brazil.
2002년에 브라질에 있는 그의 마을에서는 많은 정전이 있었다.

1072

curl

[kəːrl]

동 1곱슬곱슬하게 만들다 2동그랗게 감기다

I want to **curl** my hair.
나는 머리를 곱슬곱슬하게 말고 싶다.

The cat **curls** up in bed.
고양이는 침대에서 몸을 동그랗게 감는다.

1073

curly

[kə́ːrli]

형 곱슬곱슬한

Jocelyn was a ninth grade student with short **curly** red hair.
Jocelyn은 짧고 곱슬인 빨간 머리를 한 9학년 학생이었다.

1074

bleach

[bliːtʃ]

동 표백하다, 바래지게 하다 명 표백제

He **bleached** his jeans white.
그는 청바지를 하얗게 표백했다.

1075

blink

[bliŋk]

동 [1]눈을 깜박이다 [2]불빛이 깜박거리다

When you look at your smartphones, you do not **blink** often.
스마트폰을 볼 때 당신은 눈을 자주 깜박이지 않는다.

The light on the monitor is **blinking**.
모니터의 빛이 깜박거리고 있다.

1076

cheat

[tʃiːt]

동 [1]속이다 [2](시험 등에서) 부정행위를 하다

She thought of many ways to **cheat** her little brother.
그녀는 남동생을 속일 많은 방법을 생각해 냈다.

Don't **cheat** on the exam.
시험에서 부정행위를 하지 마라.

1077

eastern

[íːstərn]

형 동쪽에 있는, 동양의

Korea is a country in the **eastern** part of Asia.
한국은 아시아의 동쪽 지역에 있는 나라이다.

1078

western

[wéstərn]

형 서쪽에 있는, 서양의

We have both Eastern and **Western** dishes at lunch.
우리는 점심에 동양식과 서양식의 음식을 둘 다 먹는다.

1079

chore

[tʃɔːr]

명 (정기적으로 하는) 일

I can watch TV after I do my **chores**.
나는 내 일을 하고 난 뒤에 TV를 볼 수 있다.

1080

command

[kəmǽnd]

명 명령 동 명령하다

The *taegwondo* master always gives **commands** in Korean.
태권도 사범은 항상 한국어로 명령한다.

영어는 우리말로, 우리말은 영어로 쓰세요.

01 blink
02 command
03 topic
04 beard
05 western
06 bleach
07 tragedy
08 animation
09 curl
10 cheat
11 gorgeous
12 container
13 chore
14 connect
15 optimist
16 즐겁게 하다
17 ~이 들어있다, 포함하다
18 동쪽에 있는, 동양의
19 (비행기) 조종사
20 항체
21 박테리아
22 상실, 손실, 분실
23 소화하다, 소화시키다
24 (쓰레기)통
25 연결, 접속
26 보이지 않는
27 ~에 따르면, ~을 따라서
28 곱슬곱슬한
29 벌레
30 정전

함께 외우는 어휘 쌍

우리말을 보고 알맞은 단어를 쓰세요.

31 ______ 연결하다, 접속하다 — ______ 연결, 접속
32 ______ ~이 들어 있다 — ______ 그릇, 용기
33 ______ 곱슬곱슬하게 만들다 — ______ 곱슬곱슬한
34 ______ 동쪽에 있는 — ______ 서쪽에 있는

DAY 37

5회독 체크

1081

copy

[kápi]

명 복사(본), 복제(본) 동 복사하다, 복제하다

The germ cannot make **copies** of itself again.
세균은 자신을 다시 복제할 수 없다.

1082

cotton

[kátn]

명 면직물

It is a long **cotton** scarf.
그것은 길고 면(으로 된) 스카프이다.

1083

vary

[vέəri]

동 (서로) 다르다

Food culture **varies** from country to country.
음식 문화는 나라마다 다르다.

1084

various

[vέəriəs]

형 여러 가지의, 다양한

People could grow **various** vegetables in the field.
사람들은 밭에서 다양한 채소를 키울 수 있었다.

1085

variety

[vəráiəti]

명 여러 가지, 다양성

I liked the **variety** of dishes that the restaurant offered.
나는 식당이 제공했던 여러 가지 요리가 마음에 들었다.

1086

counsel

[káunsəl]

동 조언하다, 상담하다 명 조언

He **counsels** students on their personal matters.
그는 학생들에게 그들의 개인적인 문제에 관해 상담해 준다.

1087

curvy

[kə́ːrvi]

형 굴곡이 많은, 구불구불한

Drivers must be careful on **curvy** mountain roads.
운전자들은 구불구불한 산길에서 조심해야 한다.

1088

daytime

[déitàim]

명 낮 (시간), 주간

Even during the **daytime**, villagers live in darkness.
심지어 낮 시간에도 주민들은 어둠 속에서 지낸다.

1089

depressed

[diprést]

형 우울한, 암울한

She was so **depressed** that she couldn't say a word.
그녀는 너무 우울해서 한 마디도 할 수 없었다.

1090

destiny

[déstəni]

명 운명

Go and marry the man of your **destiny**.
가서 네 운명의 남자와 결혼하거라.

1091

display

[displéi]

동 전시하다 명 전시

The museum **displayed** modern art pieces.
박물관은 현대 미술 작품들을 전시했다.

1092

empire

[émpaiər]

명 제국

Caesar ruled over the **empire**.
카이사르는 제국을 다스렸다.

1093

engineer

[èndʒiníər]

명 **기술자, 기사**

We'll have a chance to meet robotics **engineers**.
우리는 로봇 공학 기술자들을 만날 기회를 가질 것이다.

1094

satisfy

[sǽtisfài]

동 **만족시키다**

It is hard to **satisfy** the customers.
고객들을 만족시키는 것은 어렵다.

1095

satisfied

[sǽtisfàid]

형 **만족하는, 만족스러워하는**

He listened to my song with a **satisfied** smile.
그는 만족스러운 미소를 지으며 내 노래를 들었다.

1096

etiquette

[étikit]

명 **예의, 예절**

You should follow the **etiquette** for taking pictures.
당신은 사진을 찍는 예절을 지켜야 한다.

1097

expert

[ékspəːrt]

명 **전문가** 형 **전문가의, 숙련된**

The **expert** was fixing my car.
전문가가 내 차를 고치고 있었다.

1098

fabric

[fǽbrik]

명 **직물, 천**

In the past, **fabric** was expensive.
과거에는 천이 비쌌다.

1099

footprint

[fútprìnt]

명 발자국

The police officer found **footprints** on the kitchen floor.
경찰관은 부엌 바닥에서 발자국을 발견했다.

1100

fountain

[fáuntən]

명 1분수 2근원, 원천

There is a **fountain** in the park.
공원에 분수가 하나 있다.
The university is a **fountain** of knowledge.
대학은 지식의 원천이다.

1101

apologize

[əpálədʒàiz]

동 사과하다

Why don't you go and **apologize** to him?
네가 그에게 가서 사과하는 게 어떠니?

1102

apology

[əpálədʒi]

명 사과

I sent a letter of **apology** to her.
나는 그녀에게 사과 편지를 보냈다.

1103

gallery

[gǽləri]

명 미술관, 화랑

You shouldn't talk loudly in the **gallery**.
당신은 미술관에서 큰 소리로 이야기해서는 안 된다.

1104

graphic

[grǽfik]

형 1그림의, 그래픽의 2생생한

He wants to be a **graphic** designer.
그는 그래픽 디자이너가 되고 싶다.
His description of the accident was **graphic**.
사고에 관한 그의 설명은 생생했다.

1105

guard

[gɑːrd]

동 지키다, 보호하다 명 경비 (요원)

The castle is **guarded** by soldiers.
성은 군인들에 의해 지켜진다.

The **guard** captured a thief.
경비 요원이 도둑을 잡았다.

1106

hairy

[hέəri]

형 털이 많은

He has a **hairy** chest.
그는 가슴에 털이 많다.

1107

solid

[sάlid]

명 고체 형 ¹고체의 ²견고한

Water changes from a liquid to a **solid** at 0°C.
물은 섭씨 0도에서 액체에서 고체로 바뀐다.

The building has a **solid** frame.
그 건물은 뼈대가 견고하다.

1108

liquid

[líkwid]

명 액체 형 액체의

Do not spill any **liquid** on the machine.
기계에 어떤 액체도 흘리지 마라.

1109

heal

[hiːl]

동 낫다, 치유하다

This medicine will help to **heal** your injuries.
이 약은 당신의 부상을 낫게 하는 데 도움을 줄 것이다.

1110

heel

[hiːl]

명 뒤꿈치, (신발의) 굽

His sneakers have worn down at the **heel**.
그의 운동화는 뒤꿈치 부분이 닳았다.

바로 테스트

< Way to go!

정답 282쪽

영어는 우리말로, 우리말은 영어로 쓰세요.

01 footprint
02 heel
03 apology
04 copy
05 depressed
06 expert
07 liquid
08 etiquette
09 satisfied
10 vary
11 display
12 counsel
13 guard
14 heal
15 engineer
16 털이 많은
17 제국
18 분수; 근원, 원천
19 여러 가지의, 다양한
20 고체(의); 견고한
21 사과하다
22 그림의, 그래픽의; 생생한
23 여러 가지, 다양성
24 낮 (시간), 주간
25 굴곡이 많은, 구불구불한
26 직물, 천
27 운명
28 만족시키다
29 미술관, 화랑
30 면직물

함께 외우는 어휘 쌍

우리말을 보고 알맞은 단어를 쓰세요.

31 ________ (서로) 다르다 — ________ 여러 가지의

32 ________ 만족시키다 — ________ 만족하는

33 ________ 사과하다 — ________ 사과

34 ________ 고체(의) — ________ 액체(의)

DAY 38

5회독 체크

1111

idiom

[ídiəm]

명 **관용구, 숙어**

When you learn a language, it is necessary to understand **idioms**.
당신이 언어를 배울 때 관용구를 이해하는 것이 필요하다.

1112

jar

[dʒɑːr]

명 **병, 단지, 항아리**

Jack has collected coins in a **jar** for a year.
Jack은 1년 동안 동전을 병에 모아 왔다.

1113

knit

[nit]

동 **(실로 옷 등을) 짜다, 뜨다**

My grandma is **knitting** a sweater for me.
나의 할머니께서 나를 위해 스웨터를 짜고 계신다.

1114

defend

[difénd]

동 **방어하다, 수비하다**

They were able to **defend** their village.
그들은 마을을 방어할 수 있었다.

1115

defense

[diféns]

명 **방어, 수비**

Your body has an army of **defense**.
당신의 몸에는 방어군이 있다.

1116

landmark

[lǽndmɑ̀ːrk]

명 **주요 지형지물, 랜드마크**

The Golden Gate Bridge is a **landmark** in San Francisco.
금문교는 샌프란시스코의 랜드마크이다.

1117

layer

[léiər]

명 (표면을 덮고 있는) 막, 층

A thick **layer** of ice covered the lake.
두꺼운 얼음 막이 호수를 덮었다.

1118

leash

[liːʃ]

명 (개 등을 매어 두는) 가죽끈 동 가죽끈으로 매다

You are not supposed to walk pets without a **leash**.
당신은 목줄 없이 애완동물을 산책시켜서는 안 된다.

1119

lid

[lid]

명 뚜껑

Please put the **lid** back on.
뚜껑을 도로 끼워 주세요.

1120

comfort

[kʌ́mfərt]

명 1편안 2위로 동 위로하다

A baby is sleeping in **comfort**.
아기가 편안하게 자고 있다.

The cat is a great **comfort** to the elderly woman.
그 고양이는 노부인에게 크나큰 위안이다.

1121

comfortable

[kʌ́mfərtəbl]

형 편안한

It will make your eyes feel more **comfortable**.
그것은 당신의 눈을 더 편안하게 해 줄 것이다.

1122

uncomfortable

[ʌnkʌ́mfərtəbl]

형 불편한

The shoes were so **uncomfortable** that she couldn't walk well.
신발이 너무 불편해서 그녀는 잘 걸을 수가 없었다.

1123

lone

[loun]

형 **혼자의, 단독의**

The **lone** traveler finally arrived home.
혼자였던 여행자는 마침내 집에 도착했다.

1124

magnet

[mǽgnit]

명 **자석**

A **magnet** draws iron to it.
자석은 철을 끌어당긴다.

1125

mop

[mɑp]

명 **대걸레** 동 **대걸레로 닦다**

I **mopped** the kitchen floor.
나는 부엌 바닥을 대걸레로 닦았다.

1126

motto

[mɑ́tou]

명 **좌우명, 모토**

Our class **motto** is to do our best.
우리 반의 급훈은 최선을 다하자는 것이다.

1127

nap

[næp]

명 **낮잠** 동 **낮잠을 자다**

After lunch, we usually take a short **nap**.
점심 식사 후에 우리는 보통 짧은 낮잠을 잔다.

1128

narrator

[nǽreitər]

명 **서술자, 내레이터**

The **narrator** read the story aloud.
내레이터는 이야기를 큰 소리로 읽었다.

1129

newborn

[njúːbɔːrn]

형 갓 태어난

She is carrying her **newborn** baby.
그녀는 갓 태어난 그녀의 아기를 안고 있다.

1130

advantage

[ædvǽntidʒ]

명 유리한 점, 장점

Tony has the **advantage** of being tall.
Tony는 키가 크다는 장점이 있다.

1131

disadvantage

[dìsədvǽntidʒ]

명 불리한 점, 약점

I was at a **disadvantage** because I didn't study much.
나는 공부를 많이 하지 않았기 때문에 불리한 입장이었다.

1132

octopus

[áktəpəs]

명 문어

People don't usually think that **octopuses** are smart.
사람들은 대개 문어가 똑똑하다고 생각하지 않는다.

1133

pace

[peis]

명 속도

He ran at a **pace** of 15 kilometers an hour.
그는 시간당 15km의 속도로 뛰었다.

1134

pan

[pæn]

명 (납작한) 냄비, 팬

Put some oil in the **pan**.
팬에 약간의 기름을 둘러라.

1135

parade

[pəréid]

명 행진 동 행진하다

People in Ireland have a big **parade** on Saint Patrick's Day.
아일랜드의 사람들은 성 패트릭의 날에 대규모 행진을 한다.

1136

triangle

[tráiæŋgl]

명 삼각형

Fold a paper in half to make a **triangle**.
삼각형을 만들기 위해 종이를 반으로 접어라.

1137

square

[skwɛər]

명 [1]정사각형 [2]광장 형 정사각형의

Draw a small circle in the **square**.
정사각형 안에 작은 원을 그려라.

People gathered in the main **square** of the city.
사람들은 도시의 주 광장에 모였다.

1138

parrot

[pǽrət]

명 앵무새

One day Abril went to a pet shop to buy a **parrot**.
어느 날 Abril은 앵무새 한 마리를 사러 애완동물 가게에 갔다.

1139

pedal

[pédl]

명 페달 동 페달을 밟다

Max pushes his foot down hard on the gas **pedals**.
Max는 발로 가속 페달을 세게 밟는다.

1140

peel

[pi:l]

동 껍질을 벗기다 명 껍질

Peel the kiwis and slice them.
키위 껍질을 벗기고 얇게 썰어라.

바로 테스트

영어는 우리말로, 우리말은 영어로 쓰세요.

01 pace
02 landmark
03 defense
04 knit
05 advantage
06 lone
07 motto
08 parade
09 lid
10 square
11 magnet
12 layer
13 comfort
14 narrator
15 leash
16 껍질(을 벗기다)
17 방어하다, 수비하다
18 편안한
19 병, 단지, 항아리
20 낮잠(을 자다)
21 문어
22 (납작한) 냄비, 팬
23 불리한 점, 약점
24 불편한
25 대걸레(로 닦다)
26 관용구, 숙어
27 앵무새
28 삼각형
29 페달(을 밟다)
30 갓 태어난

함께 외우는 어휘 쌍

우리말을 보고 알맞은 단어를 쓰세요.

31 ________ 방어하다, 수비하다 — ________ 방어, 수비
32 ________ 편안 — ________ 편안한
33 ________ 유리한 점, 장점 — ________ 불리한 점, 약점
34 ________ 삼각형 — ________ 정사각형(의)

DAY 39

5회독 체크

1141

argue

[ɑ́ːrgjuː]

동 ¹언쟁하다, 다투다 ²주장하다

I always **argue** with my younger sister.
나는 늘 내 여동생과 말다툼을 한다.

Some people **argue** that taxes must be increased.
몇몇 사람들은 세금이 인상되어야 한다고 주장한다.

1142

argument

[ɑ́ːrgjumənt]

명 ¹언쟁, 말다툼 ²논거, 주장

I had an **argument** with my best friend yesterday.
나는 어제 내 가장 친한 친구와 말다툼을 했다.

His **argument** about the matter was interesting.
그 문제에 관한 그의 주장은 흥미로웠다.

1143

photographer

[fətɑ́grəfər]

명 사진사, 사진작가

If you join our photo club, you can meet famous **photographers**.
만약 당신이 우리 사진 동아리에 가입한다면 유명한 사진작가들을 만날 수 있습니다.

1144

physics

[fíziks]

명 물리학

He studied **physics** in college.
그는 대학에서 물리학을 공부했다.

1145

pimple

[pímpl]

명 여드름, 뾰루지

I had a large, red **pimple** on my cheek.
나는 볼에 크고 빨간 여드름이 났다.

1146

presentation

[prèzəntéiʃən/prìːzentéiʃən]

명 발표

I'm going to give a **presentation** about ants.
나는 개미에 관한 발표를 할 것이다.

1147

professor

[prəfésər]

명 교수

The **professor** allowed them to take the test on Wednesday.
교수는 그들이 수요일에 시험 보는 것을 허락해 주었다.

1148

purse

[pəːrs]

명 지갑

I don't need to carry my **purse**.
나는 지갑을 들고 다니지 않아도 된다.

1149

indoors

[indɔ́ːrz]

부 실내에서

It started to rain in the afternoon, so we decided to stay **indoors**.
오후에 비가 오기 시작해서 우리는 실내에 머물기로 결정했다.

1150

outdoors

[àutdɔ́ːrz]

부 야외에서

My family sometimes eats **outdoors**.
나의 가족은 가끔씩 야외에서 식사한다.

1151

rainforest

[réinfɔ̀ːrist]

명 열대 우림

In a **rainforest**, plants grow very fast.
열대 우림에서 식물들은 무척 빨리 자란다.

1152

rival

[ráivəl]

명 경쟁자, 경쟁 상대

She has always been my biggest **rival**.
그녀는 언제나 나의 가장 큰 경쟁자가 되어 왔다.

1153

script

[skript]

명 대본

He is a **script** writer for TV dramas.
그는 TV 드라마의 대본 작가이다.

1154

minimum

[mínəməm]

명 최저, 최소한 형 최저의, 최소한의

The **minimum** age to vote for president in the US is 18.
미국에서 대통령을 뽑는 최저 연령은 18세이다.

1155

maximum

[mǽksəməm]

명 최고, 최대 형 최고의, 최대의

The painting is worth a **maximum** of five million dollars.
그 그림은 최대 5백만 달러의 가치가 있다.

1156

seaweed

[síːwìːd]

명 해초

You can see many kinds of **seaweed** in the sea.
당신은 바다에서 많은 종류의 해초를 볼 수 있다.

1157

series

[síəriːz]

명 연속, 시리즈

J. K. Rowling got the idea for the Harry Potter **series** when she was on a train to London.
J. K. Rowing은 런던행 기차를 타고 가던 중 해리포터 시리즈의 아이디어를 얻었다.

1158

shade

[ʃeid]

명 그늘 동 가리다, 그늘지게 하다

We rested in the **shade** of a tree.
우리는 나무 그늘에서 쉬었다.

The trees **shade** the yard.
나무들이 마당에 그늘을 드리운다.

1159

sketch

[sketʃ]

명 스케치 동 스케치하다

He had a rough **sketch** in his notebook.
그는 공책에 대략적인 스케치를 그렸다.

1160

sled

[sled]

명 썰매 동 썰매를 타다

We enjoy ice **sledding** in winter.
우리는 겨울에 얼음 썰매 타는 것을 즐긴다.

1161

slim

[slim]

형 날씬한, 얇은

She is tall and **slim**.
그녀는 키가 크고 날씬하다.

1162

sneeze

[sniːz]

동 재채기하다 명 재채기

She has been **sneezing** all day since she caught a cold.
그녀는 감기에 걸린 뒤로 하루 종일 재채기를 하고 있다.

1163

snowstorm

[snóustɔ̀ːrm]

명 눈보라

The teams often race through **snowstorms**.
그 팀들은 눈보라 속에서 자주 경주를 한다.

1164

soap

[soup]

명 비누

Wash your hands with **soap**!
비누로 손을 씻어라!

1165

escalate

[éskəlèit]

동 확대[증가]되다, 확대[증가]시키다

His anger has **escalated**.
그의 분노가 고조되어 왔다.

1166

escalator

[éskəlèitər]

명 에스컬레이터

The **escalator** is not working.
에스컬레이터가 작동하지 않고 있다.

1167

soul

[soul]

명 영혼, 정신, 마음

Reading books changes our character and **soul**.
독서는 우리의 인격과 마음을 변화시킨다.

1168

stamp

[stæmp]

명 1 우표 2 도장 동 도장을 찍다

He put a **stamp** on the postcard.
그는 엽서에 우표를 붙였다.
The official had the **stamp** of approval.
공무원은 승인 도장을 받았다.

1169

starry

[stɑ́:ri]

형 별이 총총한, 반짝이는

In big cities, people often cannot see a **starry** night.
대도시에서 사람들은 흔히 별이 빛나는 밤을 볼 수 없다.

1170

steel

[sti:l]

명 강철

The bridge is made of **steel**.
그 다리는 강철로 만들어진 것이다.

< Way to go!

정답 283쪽

영어는 우리말로, 우리말은 영어로 쓰세요.

01 escalate
02 shade
03 soul
04 rainforest
05 series
06 indoors
07 starry
08 sketch
09 professor
10 seaweed
11 steel
12 maximum
13 argument
14 snowstorm
15 script
16 경쟁자, 경쟁 상대
17 발표
18 사진사, 사진작가
19 언쟁하다, 다투다; 주장하다
20 최저(의), 최소한(의)
21 우표; 도장(을 찍다)
22 재채기(하다)
23 날씬한, 얇은
24 여드름, 뾰루지
25 물리학
26 에스컬레이터
27 야외에서
28 비누
29 썰매(를 타다)
30 지갑

함께 외우는 어휘 쌍

우리말을 보고 알맞은 단어를 쓰세요.

31 ______ 언쟁하다 — ______ 언쟁
32 ______ 실내에서 — ______ 야외에서
33 ______ 최저(의) — ______ 최고(의)
34 ______ 확대[증가]되다 — ______ 에스컬레이터

DAY 40

5회독 체크

1171

fashion

[fǽʃən]

명 [1]유행 [2]패션

Miniskirts are in **fashion** this summer.
올 여름에는 미니스커트가 유행이다.

The **fashion** model is very tall.
그 패션모델은 키가 무척 크다.

1172

fashionable

[fǽʃənəbl]

형 유행하는, 유행을 따른

It is **fashionable** to wear colorful socks.
화려한 양말을 신는 것이 유행이다.

1173

stove

[stouv]

명 난로, 화덕

Mom removed a pan from the **stove**.
엄마는 화덕에서 팬을 빼내셨다.

1174

strap

[stræp]

명 끈 동 끈으로 묶다

Sew the **straps** to the top of the jeans.
청바지의 윗부분에 끈을 꿰매라.

1175

stripe

[straip]

명 줄무늬

I'd like to buy a blue shirt with white **stripes**.
저는 흰색 줄무늬가 있는 파란 셔츠를 사고 싶습니다.

1176

supper

[sʌ́pər]

명 저녁 식사

My family had **supper** at the nearby restaurant.
나의 가족은 근처에 있는 식당에서 저녁을 먹었다.

1177

swimsuit

[swímsùːt]

명 수영복

Let's change into our **swimsuits**.
수영복으로 갈아입자.

1178

tag

[tæg]

명 꼬리표 동 꼬리표를 붙이다

She made price **tags** for the items.
그녀는 물건들의 가격표를 만들었다.

1179

thunder

[θʌ́ndər]

명 천둥 동 천둥이 치다

The **thunder** was too loud.
천둥소리가 너무 컸다.

1180

typhoon

[taifúːn]

명 태풍(북태평양 서남부에서 발생하는 열대성 저기압)

The **typhoon** hit Jejudo last night.
지난밤에 태풍이 제주도를 강타했다.

1181

hurricane

[hə́ːrəkèin]

명 허리케인(북대서양 등지에서 발생하는 열대성 저기압)

The **hurricane** is moving north.
허리케인이 북쪽으로 이동하고 있다.

1182

tournament

[túərnəmənt]

명 토너먼트(경기마다 진 팀을 제외시켜 최후의 두 팀이 우승을 가리는 경기 대전 방식)

When the **tournament** started, the soccer team surprised everyone.
토너먼트가 시작되었을 때 그 축구팀은 모두를 놀라게 했다.

1183

tower

[táuər]

명 탑

Let's meet at 2 p.m. in front of the clock **tower**.
오후 2시에 시계탑 앞에서 만나자.

1184

track

[træk]

명 길, 선로 동 추적하다

The **track** is wide enough for a truck.
그 길은 트럭 한 대가 지나갈 수 있을 만큼 넓다.

The police kept **tracking** the thief.
경찰이 도둑을 계속 추적했다.

1185

trial and error

[tráiəl ənd érər]

명 시행착오

After much **trial and error**, he finally succeeded in making his device.
많은 시행착오 뒤에 그는 마침내 장치를 만드는 데 성공했다.

1186

tune

[tjuːn]

명 곡(조) 동 맞추다, 조율하다

He played a **tune** on his piano.
그는 피아노로 한 곡을 연주했다.

I need to **tune** my guitar.
나는 기타를 조율해야 한다.

1187

stress

[stres]

명 스트레스 동 스트레스를 받다[주다]

I felt like all my **stress** went away.
나는 내 모든 스트레스가 사라지는 것 같이 느껴졌다.

1188

stressful

[strésfəl]

형 스트레스가 많은

Beginning a new school year is **stressful** to many students.
새 학년을 시작하는 것은 많은 학생들에게 스트레스를 준다.

1189

unbelievable

[ʌ̀nbilíːvəbl]

형 믿기 어려울 정도인

Wow, that sounds **unbelievable**.
와, 그것은 믿기 어렵게 들린다.

1190

uneasy

[ʌ̀níːzi]

형 불안한, 불편한

I always feel **uneasy** about meeting strangers.
나는 낯선 사람들을 만나는 것이 항상 불편하게 느껴진다.

1191

unexpected

[ʌ̀nikspéktid]

형 예기치 않은, 뜻밖의

They were surprised at the **unexpected** news.
그들은 뜻밖의 소식에 놀랐다.

1192

volume

[váljuːm]

명 1용량, 양 2음량

The Amazon rainforest produces a huge **volume** of oxygen.
아마존 열대 우림은 막대한 양의 산소를 만든다.
Will you turn down the **volume** please?
음량을 낮춰 주시겠어요?

1193

wallet

[wálit]

명 지갑

I have 20 dollars in my **wallet**.
나는 지갑에 20달러가 있다.

1194

waterfall

[wɔ́ːtərfɔ̀ːl / wátərfɔ̀ːl]

명 폭포

Niagara Falls is a large **waterfall** in North America.
나이아가라 폭포는 북아메리카에 있는 큰 폭포이다.

1195

waterproof

[wɔ́:tərprù:f / wɑ́tərprù:f]

형 방수의

The phone has a **waterproof** coating.
그 전화기는 방수 코팅이 되어 있다.

1196

weekday

[wí:kdèi]

명 평일

They don't play computer games on **weekdays**.
그들은 평일에 컴퓨터 게임을 하지 않는다.

1197

well-known

[wèlnóun]

형 유명한, 잘 알려진

He is a **well-known** artist.
그는 유명한 예술가이다.

1198

whistle

[hwísl]

명 휘파람, 호루라기 동 휘파람을 불다, 호루라기를 불다

The audiences **whistle** and clap at any time.
청중들은 언제든지 휘파람을 불고 박수를 친다.

1199

within

[wiðín]

전 ~ 이내에

You should return the book **within** 10 days.
당신은 10일 이내에 그 책을 반납해야 한다.

1200

youth

[ju:θ]

명 젊음, 청년

In his **youth**, he traveled around the world.
젊은 시절에 그는 전 세계를 여행했다.

영어는 우리말로, 우리말은 영어로 쓰세요.

01 hurricane
02 youth
03 stress
04 well-known
05 unexpected
06 fashionable
07 stripe
08 unbelievable
09 wallet
10 weekday
11 supper
12 swimsuit
13 whistle
14 track
15 tune
16 끈(으로 묶다)
17 용량, 양; 음량
18 유행; 패션
19 난로, 화덕
20 방수의
21 폭포
22 탑
23 ~ 이내에
24 태풍
25 토너먼트
26 천둥(이 치다)
27 스트레스가 많은
28 불안한, 불편한
29 꼬리표(를 붙이다)
30 시행착오

함께 외우는 어휘 쌍

우리말을 보고 알맞은 단어를 쓰세요.

31 ______ 유행; 패션 — ______ 유행하는, 유행을 따른
32 ______ 태풍 — ______ 허리케인
33 ______ 스트레스(를 받다) — ______ 스트레스가 많은

Idioms in Use DAY 36-40

DAY 36 1062

according to

~에 따르면, ~에 따라서

According to the weather forecast, it will rain heavily tomorrow.
일기 예보에 따르면 내일은 비가 많이 올 것이다.

DAY 37 1085

a variety of

여러 가지의, 다양한

The market is famous for selling **a variety of** goods from different countries.
그 시장은 여러 나라들에서 온 여러 가지 상품들을 판매하는 것으로 유명하다.

DAY 37 1095

be satisfied with

~에 만족하다

I **am** not **satisfied with** our match.
나는 우리의 경기가 만족스럽지 않다.

DAY 38 1130

take advantage of

~을 이용하다

You have to **take advantage of** this chance.
너는 이 기회를 이용해야 한다.

DAY 40 1171

out of fashion

유행에 뒤떨어진

That kind of shirt is **out of fashion**.
그런 종류의 셔츠는 유행에 뒤떨어진 것이다.

Word Puzzle

정답 283쪽

Find the words.

R	O	E	X	C	P	D	F	C	C	M	E	T
B	D	S	Z	O	I	H	B	X	Y	Z	X	S
L	C	S	M	G	V	E	L	E	S	P	P	E
A	X	Z	E	N	U	T	R	E	E	A	E	R
I	S	S	G	Q	L	V	O	G	I	R	R	O
M	T	N	A	T	F	V	O	P	S	A	T	F
I	U	N	E	X	P	E	C	T	E	D	F	N
D	E	P	R	E	S	S	E	D	M	E	I	I
C	V	S	M	Y	Y	L	D	M	T	U	Y	A
H	U	L	E	A	S	H	O	A	V	K	V	R
E	N	O	I	T	A	M	I	N	A	H	K	W
A	B	X	I	P	D	G	O	L	R	X	Q	G
T	C	O	P	Y	P	T	V	T	B	A	J	E

copy 복사(본); 복사하다
mop 대걸레(로 닦다)
cheat 속이다
leash 가죽끈(으로 매다)
tune 곡(조); 맞추다
expert 전문가(의)
digest 소화하다
animation 생기; 만화 영화
parade 행진(하다)
rainforest 열대 우림
depressed 우울한
unexpected 예기치 않은

Promise me you'll always remember:

You're braver than you believe,

stronger than you seem,

and smarter than you think.

-Winnie the Pooh

이걸 항상 기억하겠다고 약속해 줘.
넌 네가 믿는 것보다 용감하며,
보기보다 강하고,
생각보다 더 똑똑하다는 걸.

ANSWERS

ANSWERS

DAY 01 바로 테스트

p. 15

01 지역의, 현지의; 주민, 현지인
02 떠나다, 출발하다; ~을 두고 오다
03 지난; 마지막의; 지속되다
04 모습, 외모; 나타남, 등장
05 야생의
06 찢어지다, 찢다; 눈물
07 특히, 특별히
08 나타나다, 생기다; ~인 것 같다
09 외국인
10 공유하다, 나누다; 몫
11 지휘하다, 감독하다; 직접적인
12 움직임, 이동; 운동
13 아프다, 아프게[다치게] 하다; 다친
14 뜻하다; 의도하다; 못된
15 물다; 물기; 한 입 (베어 문 조각)
16 foreign
17 experience
18 medicine
19 desert
20 arrive
21 shout
22 detective
23 secret
24 character
25 disappear
26 feed
27 probably
28 avoid
29 rest
30 direction

함께 외우는 어휘 쌍

31 appear – disappear
32 arrive – leave
33 foreign – foreigner
34 direct – direction

DAY 02 바로 테스트

p. 21

01 마른, 건조한; 마르다, 말리다
02 그 밖에, 다른
03 누르다; 압박하다; 언론
04 덮다, 가리다; 다루다; 덮개
05 언제든; 단연코
06 교통(량)
07 여성(의), 암컷(의)
08 ~ 없이
09 화장실
10 그러한 (것[사람])
11 점, 지점; 의견, 주장; (손가락 등으로) 가리키다
12 수행하다, 실시하다; 공연하다
13 존경(하다), 존중(하다)
14 생산물, 상품
15 글, 문서; (휴대 전화로) 문자 메시지를 보내다
16 serious
17 sleepy
18 develop
19 explain
20 male
21 promise
22 instead
23 moment
24 pressure
25 produce
26 weigh
27 through
28 view
29 performance
30 decorate

함께 외우는 어휘 쌍

31 produce – product
32 press – pressure
33 male – female
34 perform – performance

DAY 03 바로 테스트

p. 27

01 필요한, 필수적인
02 연세가 드신
03 규칙; 지배하다
04 (총 등을) 쏘다; 촬영(하다)
05 표현하다; 급행의, 신속한
06 허리
07 재료, 소재; 직물, 천
08 창조력, 창조성
09 인기 있는, 대중적인
10 징후, 조짐; 표지판; 서명하다
11 똑바로; 곧은, 똑바른
12 신청하다, 지원하다; 적용하다
13 계속 ~이다; 남다
14 가슴, 흉부; 나무 상자
15 창조적인, 창의적인
16 creature
17 unique
18 signature
19 expression
20 still
21 feather
22 thief
23 create
24 intelligent
25 creation
26 application
27 hide
28 sore
29 repeat
30 simple

함께 외우는 어휘 쌍

31 apply – application
32 sign – signature
33 create – creative
34 express – expression

DAY 04 바로 테스트

p. 33

01 던지다
02 자발적인, 자진한; 자원 봉사로 하는
03 빈, 비어 있는; 비우다
04 ~에 이르다, 닿다; (손을) 뻗다; 거리, 범위
05 제안하다, 추천하다
06 식사, 끼니
07 퍼지다, 확산시키다; 바르다; 확산
08 겁먹은, 무서워하는
09 제복, 군복, 교복
10 속임수; 마술; 속이다
11 파도, 물결; 흔들다
12 겁주다, 무서워하다
13 분리되다, 분리하다; 분리된
14 올리다; 키우다; 모으다
15 때리다, 두드리다; 이기다; (심장이) 고동치다; 박자
16 gather
17 museum
18 prepare
19 scary
20 step
21 title
22 suggestion
23 actually
24 reason
25 volunteer
26 exercise
27 nervous
28 celebrate
29 speed
30 closet

함께 외우는 어휘 쌍

31 suggest – suggestion
32 volunteer – voluntary
33 gather – separate
34 scare – scary

DAY 05 바로 테스트

p. 39

01 책임자, 감독
02 재주가 있는, 재능이 있는
03 들판; 분야
04 구르다, 굴리다
05 환경
06 치다; (재난 등이) 발생하다
07 흔한, 평범한; 공통의; 공유지
08 공격(하다)
09 팔다, 판매하다
10 밝은; (색이) 연한; 가벼운; 빛, 전깃불
11 탈출하다, 빠져 나가다; 피하다, 모면하다; 탈출
12 결정, 판단
13 기계
14 빌려주다
15 거짓말(하다); 눕다, 놓여 있다
16 president
17 talent
18 environmental
19 borrow
20 windy
21 contest
22 decide
23 medal
24 skin
25 boil
26 pour
27 weak
28 wing
29 temperature
30 result

함께 외우는 어휘 쌍

31 decide – decision
32 environment – environmental
33 talent – talented
34 borrow – lend

DAY 01-05 Crossword Puzzle

p. 41

									[1]m								
								[2]r	e	a	s	o	n				
									d								
									i		[3]p				[4]r		
									c		r				a		
	[5]c								i		e				i		
[6]p	o	p	u	l	a	[7]r			n		s				s		
	m					[8]e	x	p	e	r	i	e	n	c	e		
	m					s					d						
	o					p					e						
	n					e					n						
						c					[9]t	[10]r	a	f	f	i	c
				[11]a	t	t	[12]a	c	k			e					
							v					m					
							o					a					
							i					i					
							d					n					

ANSWERS

DAY 06 바로 테스트

p. 47

01 운영하다, 관리하다; 간신히 ~해내다
02 용돈, 비용; 허용량
03 알아차리다; 통지, 안내문
04 위치, 장소, 현장
05 100만(의)
06 정장, 옷; ~에게 맞다, 편리하다
07 정상이 아닌, 말도 안 되는; 미친 듯이 화가 난
08 판단하다; 판사, 심판
09 영수증
10 양; 총액, 총계
11 정말로, 진심으로
12 눈이 먼, 맹인인
13 빛나다, 비추다
14 모으다, 수집하다; 모금하다
15 실험(하다)
16 afraid
17 dictionary
18 billion
19 realize
20 army
21 wheel
22 manager
23 truth
24 bottom
25 allow
26 however
27 improve
28 prevent
29 continue
30 toothache

함께 외우는 어휘 쌍

31 million – billion
32 truth – truly
33 allow – allowance
34 manage – manager

DAY 07 바로 테스트

p. 53

01 의사소통하다
02 대답하다, 답장을 보내다; 반응을 보이다
03 책임, 담당; 요금; 청구하다
04 가을
05 평균(의), 보통(의)
06 집중하다, 집중시키다; 초점, 주목
07 환자; 참을성 있는
08 제공(하다), 제의(하다)
09 신뢰(하다)
10 ~ 중에; ~에 둘러싸인
11 오염, 공해
12 보통(의); 평범(한)
13 지지(하다), 지원(하다)
14 비교하다
15 ~의 뒤를 따라가다; (충고 등을) 따르다
16 exactly
17 joke
18 warn
19 predict
20 similar
21 pollute
22 situation
23 tool
24 reduce
25 patience
26 achieve
27 graduate
28 challenge
29 trusty
30 following

함께 외우는 어휘 쌍

31 pollute – pollution
32 patient – patience
33 trust – trusty
34 follow – following

DAY 08 바로 테스트

p. 59

01 낭비(하다); 쓰레기
02 휴식을 취하다, 진정하다
03 어리석은, 바보 같은
04 인근의, 가까운 곳의; 인근에, 가까운 곳에
05 현장; 장면
06 입증하다, 증명하다
07 섞이다, 섞다
08 놓다, 두다; 알을 낳다
09 외치다, 소리치다
10 (고개를) 끄덕이다
11 손잡이; 다루다, 처리하다
12 발사; (농구 등에서) 슛
13 ~의 옆에
14 왕의, 왕실의; 왕족
15 가라앉다, 침몰시키다; (부엌의) 개수대, 싱크대
16 publish
17 float
18 scenery
19 period
20 sharp
21 mixture
22 award
23 competition
24 steal
25 survey
26 whisper
27 scream
28 flow
29 save
30 mission

함께 외우는 어휘 쌍

31 save – waste
32 mix – mixture
33 scene – scenery
34 float – sink

DAY 09 바로 테스트

p. 65

01 영향, 결과, 효과
02 번쩍임; (사진기의) 플래시; 번쩍이다
03 ~에 반대하여, ~에 맞서; ~을 향하여
04 세부 사항
05 괴롭히다, 귀찮게 하다
06 신화
07 엄한, 엄격한
08 햇빛, 햇살
09 인공의, 인위적인
10 전통
11 번개
12 바꾸다, 전환하다; 전환; 스위치
13 붙이다; 찌르다; 막대기
14 완전히, 전적으로
15 위험
16 discount
17 fancy
18 artwork
19 shower
20 although
21 traditional
22 expand
23 cause
24 ordinary
25 dangerous
26 festival
27 navy
28 bump
29 sticky
30 entire

함께 외우는 어휘 쌍

31 cause – effect
32 tradition – traditional
33 stick – sticky
34 danger – dangerous

DAY 10 바로 테스트

p. 71

01 아주 좋아하는 (것[사람])
02 (갈라져 생긴) 금, 틈; 갈라지다
03 체계; 제도, 체제
04 전달하다; 계주
05 더미, 무더기; 쌓다, 포개다
06 경기장
07 여과기, 필터; 거르다, 여과하다
08 ~와 다른; 서로 다른
09 수수께끼
10 까마귀; 수탉 울음소리; ('꼬끼오'하고) 울다
11 인상, 이미지; 상, 모습
12 특별한
13 발명하다
14 소포, 꾸러미
15 환호(하다); 응원(하다)
16 sunscreen
17 per
18 fry
19 pack
20 toward
21 wax
22 imagine
23 mosquito
24 seaside
25 subject
26 invention
27 plant
28 thumb
29 cheerful
30 practice

함께 외우는 어휘 쌍

31 pack – package
32 invent – invention
33 image – imagine
34 cheer – cheerful

DAY 06-10 Word Puzzle

p. 73

Q	A	L	B	Q	O	P	Z	U	O	I	E	E
J	V	Y	B	C	S	U	P	P	O	R	T	S
L	X	O	R	M	F	V	Z	F	L	A	J	D
C	X	K	H	E	X	E	F	L	V	E	I	R
E	Q	T	C	T	V	E	Z	E	T	G	T	W
E	O	H	L	S	R	O	R	I	J	T	N	S
R	W	G	E	Y	I	A	R	T	L	H	E	N
I	C	I	O	S	G	O	T	J	S	A	V	P
T	E	L	Q	E	V	U	G	Y	D	N	E	E
N	A	N	D	A	J	P	K	C	L	E	R	R
E	W	U	F	F	H	X	A	L	E	R	P	I
F	U	S	C	O	N	T	I	N	U	E	J	O
Q	C	R	L	V	F	I	P	E	C	R	M	D

ANSWERS

DAY 11 바로 테스트

p. 79

01 보호하다, 지키다
02 알리다, 보고하다; 보고(서)
03 경기; 성냥; 어울리다
04 (자전거 등을) 타다; 타고 가기
05 맛; 취향; ~한 맛이 나다
06 (돈을) 쓰다; (시간을) 보내다
07 잘못된, 틀린; 잘못, 틀리게
08 ~도, ~조차
09 자연의; 타고난
10 ~ 동안
11 별명
12 모양, 형태; ~ 모양으로 만들다
13 두꺼운; 빽빽한, 울창한; 두껍게
14 주문(하다); 명령(하다)
15 사회의, 사회적인
16 usually
17 carry
18 language
19 huge
20 culture
21 nature
22 enjoy
23 protection
24 piece
25 thin
26 amazing
27 society
28 seafood
29 trash
30 laugh

함께 외우는 어휘 쌍

31 protect – protection
32 society – social
33 thin – thick
34 nature – natural

DAY 12 바로 테스트

p. 85

01 어려운, 힘든; 딱딱한; 열심히
02 궁금해하다; 놀라다; 경이(로운 것)
03 기량, 기술
04 재활용하다
05 발생하다, 일어나다
06 만화
07 ~이 되다, ~(해)지다
08 우연한, 돌발적인
09 소개하다
10 끔찍한, 심한
11 더하다, 추가하다
12 직면하다; 얼굴
13 예쁜; 꽤, 매우
14 (기차)역, (버스) 정거장
15 지혜로운, 현명한
16 magazine
17 wisdom
18 refrigerator
19 upset
20 recipe
21 melt
22 perfect
23 turn
24 library
25 skillful
26 item
27 accident
28 vacation
29 addition
30 vegetable

함께 외우는 어휘 쌍

31 wise – wisdom
32 add – addition
33 skill – skillful
34 accident – accidental

DAY 13 바로 테스트

p. 91

01 살아 있는; 활기찬, 생기 있는
02 광고
03 회사; 함께 있음, 함께 있는 사람들
04 불다; 날려 보내다
05 바라다, 원하다; 바람, 소원
06 수리하다; 정하다, 고정시키다
07 제공하다; 일하다, 봉사하다
08 국가의, 전국적인, 전국민의
09 회전(하다), 회전시키다
10 양초
11 식당
12 완료하다; 완벽한, 완전한
13 이끌다, 안내하다; 선두, 우세
14 기록하다; 녹음[녹화]하다; 기록; 음반
15 버릇, 습관
16 greet
17 advertise
18 forest
19 dead
20 leader
21 spicy
22 international
23 hike
24 stair
25 stage
26 grade
27 whole
28 begin
29 nation
30 dessert

함께 외우는 어휘 쌍

31 lead – leader
32 nation – national
33 advertise – advertisement
34 alive – dead

DAY 14 바로 테스트

p. 97

01 좁은
02 거친; 대강의, 대략적인; 거칠게
03 붐비는, 복잡한
04 육체의, 신체의; 물질의, 물리적인
05 접시
06 최고 수준의, 일류의; 전형적인; 고전, 명작
07 실수
08 나중에; 나중의, 뒤의
09 오르다, 올라가다
10 살아남다, 생존하다; 견뎌 내다
11 군중, 무리; 가득 메우다
12 돌아오다 [가다]; 돌려주다; 돌아옴; 반납
13 대답(하다), 답장(을 보내다)
14 문장; (형의) 선고, 형; (형을) 선고하다
15 의견, 견해
16 fold
17 race
18 safety
19 trouble
20 teenager
21 wide
22 guide
23 believe
24 survival
25 classical
26 lift
27 receive
28 prize
29 novel
30 century

함께 외우는 어휘 쌍

31 wide – narrow
32 crowd – crowded
33 survive – survival
34 classic – classical

DAY 15 바로 테스트

p. 103

01 맞다, 어울리게 하다; 알맞은; 건강한
02 (각도, 온도 단위의) 도; 정도
03 달인; 주인; ~을 완전히 익히다
04 해, 손해; 해를 끼치다
05 깊은 인상을 주다, 감명을 주다
06 찾다, 검색하다; 찾기, 검색
07 행성
08 밀가루
09 복습(하다); 검토(하다)
10 탐사하다, 탐험하다
11 힘; 권력; 동력을 공급하다
12 관광(하다), 여행(하다)
13 세포
14 수도; 자금, 자본; 대문자
15 지도하다; 코치
16 impression
17 symbol
18 someday
19 spirit
20 calm
21 hang
22 tourist
23 powerful
24 stretch
25 cave
26 impressive
27 quickly
28 harmful
29 chat
30 skip

함께 외우는 어휘 쌍

31 tour – tourist
32 impress – impressive
33 power – powerful
34 harm – harmful

DAY 11-15 Crossword Puzzle

p. 105

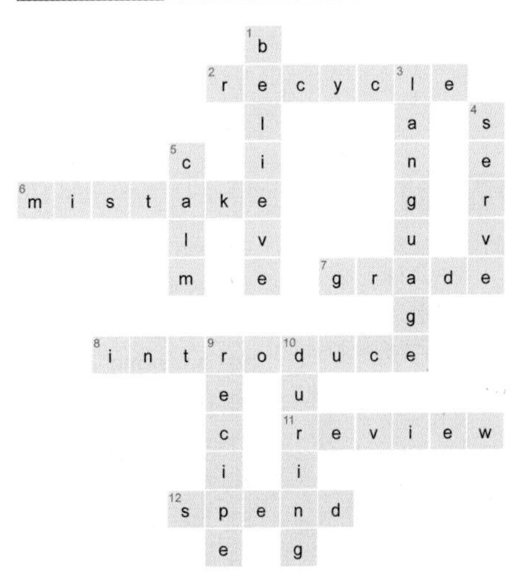

ANSWERS

DAY 16 바로 테스트

p. 111

01 망사, 그물, 네트; 인터넷
02 최근의
03 자세(를 취하다)
04 단단한, 꽉 조이는; 단단히
05 피곤해지다, 피곤하게 하다; (자동차 등의) 타이어
06 (칸막이를 한) 작은 공간, 부스
07 풀, 잔디
08 (음식을 얇게 썬) 조각; (얇게) 썰다
09 마음, 생각; 상관하다, 언짢아하다
10 기구, 도구; 악기
11 발표, 소식, 알림
12 구내식당
13 판매; 할인 판매
14 연락(하다); 접촉(하다)
15 전쟁
16 announce
17 submarine
18 loose
19 member
20 mount
21 newspaper
22 position
23 course
24 whale
25 treasure
26 dust
27 recently
28 soldier
29 polar
30 edit

함께 외우는 어휘 쌍

31 announce – announcement
32 loose – tight
33 pose – position
34 recent – recently

DAY 17 바로 테스트

p. 117

01 (부정문에서) ~도; (둘 중) 어느 하나
02 끔찍한, 무시무시한
03 상태; 국가, 주; 진술하다
04 형성되다, 형성시키다; 형태; 서식
05 차고, 주차장
06 대학
07 형태, 유형
08 ~처럼 보이다, ~인 것 같다
09 표시(하다)
10 곤충
11 분쇄기, 믹서
12 조절(하다); 통제(하다), 지배(하다)
13 공장
14 끔찍한, 지독한
15 만지다, 접촉하다; 감동시키다; 접촉
16 blend
17 neither
18 horror
19 awesome
20 useful
21 die
22 build
23 human
24 community
25 chance
26 spaceship
27 seed
28 modern
29 bill
30 angry

함께 외우는 어휘 쌍

31 awesome – awful
32 blend – blender
33 either – neither
34 horror – horrible

DAY 18 바로 테스트

p. 123

01 오르다, 올라가다; 증가, 상승
02 달콤한 (것); 다정한
03 건강한, 건강에 좋은
04 신나는, 흥분시키는
05 (불)타다; 화상(을 입다)
06 놓치다; 그리워하다
07 노력, 수고
08 전 세계의, 전 지구의
09 병, 질병
10 흥분시키다, 들뜨게 만들다
11 운동[캠페인](을 벌이다)
12 (과학) 기술
13 시력, 시야; 광경
14 홍수; 물에 잠기다; 범람하다
15 주요한
16 straw
17 several
18 regular
19 pity
20 coin
21 address
22 goods
23 bitter
24 excited
25 health
26 catch
27 proverb
28 balance
29 storm
30 fault

함께 외우는 어휘 쌍

31 excited – exciting
32 bitter – sweet
33 health – healthy
34 catch – miss

DAY 19 바로 테스트

p. 129

01 기억하다
02 (허리를 굽혀) 절하다; 절
03 비행, 여행; 항공편[기]
04 예절, 예의; 방법, 방식
05 알리다, 통지하다
06 두 개, 두 사람; 쌍, 커플
07 ~할 수 있는
08 유령
09 고통, 통증
10 아직; 그렇지만
11 나뉘다, 나누다
12 다르다
13 값이 싼, 돈이 적게 드는
14 명예, 영광; 존경을 표하다
15 물건, 물체; 목적, 목표
16 background
17 smoke
18 distance
19 grocery
20 difference
21 therefore
22 memory
23 expensive
24 favor
25 forget
26 increase
27 information
28 charity
29 different
30 bar

함께 외우는 어휘 쌍

31 expensive – cheap
32 remember – forget
33 inform – information
34 differ – different

DAY 20 바로 테스트

p. 135

01 자신의 (것); 소유하다
02 몸짓, 제스처
03 점수(를 얻다)
04 식사, 식단; 규정식, 다이어트
05 청중, 관객, 시청자
06 가능한
07 영원히
08 목적
09 (농)작물; 수확량
10 손님
11 황금(빛)의; 귀중한
12 관심(을 끌다), 흥미(를 끌다)
13 친척; 상대적인; 관련된
14 풀다; 해결하다
15 고려하다, 숙고하다; 여기다
16 interested
17 knowledge
18 athlete
19 expect
20 cancer
21 cash
22 quite
23 temple
24 garbage
25 owner
26 accept
27 solution
28 adult
29 destroy
30 impossible

함께 외우는 어휘 쌍

31 own – owner
32 interest – interested
33 possible – impossible
34 solve – solution

DAY 16-20 Word Puzzle

p. 137

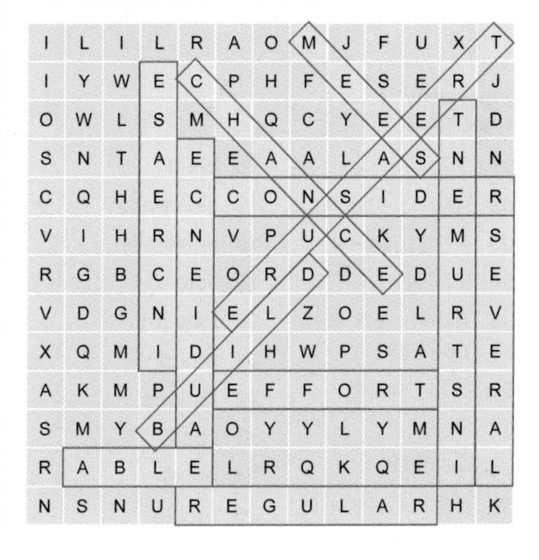

ANSWERS

DAY 21 바로 테스트

p. 143

01 매일의, 일상의; 하루, 매일
02 영웅, 남자 주인공
03 방문객, 손님
04 수치, 숫자; 형상, 인물상
05 낯선 사람; (어떤 곳에) 처음 온 사람
06 미친; 화가 난
07 확신하다; 돈을 걸다; 내기
08 위성, 인공위성
09 (소리가) 큰, 시끄러운
10 중요한
11 주다, 제공하다
12 일정; 일정을 잡다, 예정하다
13 길; 노선
14 조각상
15 포함하다, 포함시키다
16 importance
17 structure
18 chemical
19 aloud
20 journey
21 credit
22 earn
23 helpful
24 sheet
25 difficulty
26 wealth
27 visit
28 strange
29 soil
30 gain

함께 외우는 어휘 쌍

31 strange – stranger
32 important – importance
33 visit – visitor
34 loud – aloud

DAY 22 바로 테스트

p. 149

01 두통
02 감사하다; 감상하다
03 놀랍게도, 대단히
04 멋진, 잘생긴
05 경보(기); 불안, 놀람; 놀라게 하다
06 친숙한, 익숙한
07 명성
08 수리(하다)
09 토론하다, 논의하다
10 힘; 강점, 장점
11 비용[값](이 들다)
12 자랑, 자부심; 자존심
13 양동이
14 새장[우리](에 가두다)
15 수확(하다)
16 bend
17 elementary
18 university
19 vote
20 forward
21 proud
22 famous
23 coast
24 reward
25 rubber
26 root
27 surprised
28 head
29 wrap
30 bark

함께 외우는 어휘 쌍

31 pride – proud
32 head – headache
33 surprised – surprisingly
34 fame – famous

DAY 23 바로 테스트

p. 155

01 깜짝 놀라게 하다; 충격
02 (한 편의) 시
03 운 좋게, 다행히도
04 전투, 다툼; 싸우다
05 이웃 사람
06 용서하다
07 금속
08 아마도, 어쩌면
09 평평한; 바람이 빠진, 펑크 난
10 (신문, 잡지의) 기사; 물품
11 고통을 겪다
12 동의하다
13 잠그다; 자물쇠
14 힘든; 강인한, 굳센
15 싫어하다; 싫음, 반감
16 luck
17 complain
18 poet
19 kindness
20 ashamed
21 poetry
22 lonely
23 wooden
24 muscle
25 castle
26 disagree
27 neighborhood
28 dot
29 exist
30 government

함께 외우는 어휘 쌍

31 neighbor – neighborhood
32 poem – poet
33 agree – disagree
34 luck – luckily

DAY 24 바로 테스트

p. 161

01 삼키다; 제비
02 더 높이 있는, 위쪽의
03 양식, 무늬, 패턴
04 초상화
05 흐르다, 쏟다
06 청각 장애가 있는
07 관심을 가지다; 돌보다; 돌봄; 조심
08 간청하다, 구걸하다
09 화면; 가리다, 차단하다
10 갑작스러운
11 시끄러운
12 공정한, 타당한; 박람회
13 물건, 것(들)
14 교육
15 기쁘게 하다; 제발, 부디
16 astronaut
17 population
18 careful
19 dynasty
20 courage
21 pleased
22 dive
23 suddenly
24 emotion
25 unfair
26 nearly
27 greenhouse
28 signal
29 earthquake
30 edge

함께 외우는 어휘 쌍

31 sudden – suddenly
32 care – careful
33 fair – unfair
34 please – pleased

DAY 25 바로 테스트

p. 167

01 시내에, 시내로; 도심의, 중심가의
02 단 하나의; 1인용의, 혼자의
03 손님, 고객
04 털, 모피
05 한계; 제한하다
06 어리석은, 멍청한
07 바닷가, 호숫가, 강가
08 톡톡 두드리다; 수도꼭지
09 조언, 충고
10 용기를 북돋우다, 격려하다
11 확실히, 물론
12 초대(장)
13 곡물, 낟알
14 북쪽의, 북쪽에 위치한
15 미끄러지다, 미끄러져 움직이다
16 fear
17 smart
18 cough
19 disaster
20 advise
21 positive
22 confident
23 exchange
24 fever
25 invite
26 conversation
27 clerk
28 ugly
29 furniture
30 opposite

함께 외우는 어휘 쌍

31 smart – stupid
32 advice – advise
33 clerk – customer
34 invite – invitation

DAY 21-25 Crossword Puzzle

p. 169

[1]w	r	a	[2]p											
			o											
	[3]d		s											
	i		i									[4]f		
	s		t				[5]e					o		
	a		i				x					r		
	s		v				c					g		
[6]s	t	r	e	n	g	t	h			[7]e	x	i	s	t
	e						a					v		
	r					[8]i	n	c	[9]l	u	d	e		
			[10]r				g		o					
	[11]p	r	o	v	i	d	e		[12]n	e	a	r	l	y
			u						e					
			t						l					
			e						y					

ANSWERS

DAY 26 바로 테스트

p. 175

01 건축가, 설계자
02 우정
03 박수(를 치다)
04 다루다; 거래
05 아름다움, 미
06 뿌리다; 분무기, 스프레이
07 목구멍, 목
08 고르다, 선택하다
09 궁금한; 호기심이 많은
10 책임지고 있는; 책임감 있는
11 관광
12 높이; 키
13 발견, 발견된 것[사람]
14 화산
15 ~할 가치가 있는; 가치
16 discover
17 chew
18 suppose
19 career
20 embarrass
21 source
22 overcome
23 aid
24 choice
25 supply
26 beautiful
27 friendly
28 path
29 foolish
30 represent

함께 외우는 어휘 쌍

31 beauty – beautiful
32 discover – discovery
33 friendly – friendship
34 choice – choose

DAY 27 바로 테스트

p. 181

01 먼지, 때
02 추가의; 추가되는 것
03 줄, 열; 노를 젓다
04 껴안다, 포옹(하다)
05 고대의, 아주 오래된
06 ~을 탓하다, 비난하다; 책임, 탓
07 공상, 상상
08 재료, 구성 요소
09 사고; 충돌하다, 추락하다
10 지하의; 지하에
11 위통, 복통
12 사다리
13 숨을 쉬다, 호흡하다
14 예측(하다), 예보(하다)
15 조직, 단체
16 available
17 dirty
18 salty
19 recommend
20 neat
21 stomach
22 independence
23 smooth
24 breath
25 exhibition
26 fantastic
27 freedom
28 sunset
29 happiness
30 frame

함께 외우는 어휘 쌍

31 fantasy – fantastic
32 breath – breathe
33 stomach – stomachache
34 dirt – dirty

DAY 28 바로 테스트

p. 187

01 날것의, 가공하지 않은
02 빤히 쳐다보다, 응시하다
03 폭력적인, 난폭한
04 말을 안 하는, 조용한
05 꿰매다, 바느질하다
06 잠들지 않은, 깨어 있는; 잠에서 깨다, 깨우다
07 다시 한 번 알려 주다, 상기시키다
08 말하다, 언급하다
09 뛰어오르다; 가슴이 뛰다; 높이뛰기, 도약
10 지루하게 만들다; 지루한 일[사람]
11 연구(하다), 조사(하다)
12 같은, 동등한
13 죽음, 종말
14 (시의) 운, 각운
15 주요한; 전공(하다)
16 apart
17 wipe
18 lean
19 continent
20 asleep
21 refuse
22 duty
23 birth
24 envelope
25 bored
26 blond(e)
27 tend
28 silence
29 passport
30 lower

함께 외우는 어휘 쌍

31 death – birth
32 asleep – awake
33 silent – silence
34 bore – bored

DAY 29 바로 테스트

p. 193

01 계좌; 설명(하다)
02 단단히 고정하다, 매다
03 비슷한, 같은; 똑같이
04 결석한, 없는; 결석하다
05 손바닥; 야자나무
06 일반적인, 전반적인; 장군
07 단단한 껍질, 조가비
08 전기의
09 풍부[충분]한 양
10 디자인(하다)
11 입구, 문; 입학
12 개인(의), 개개(의)
13 두 배의; 2인용의; 두 배
14 보다, 관찰하다
15 변호사
16 passenger
17 feature
18 author
19 designer
20 clever
21 rate
22 generally
23 law
24 electricity
25 praise
26 surface
27 rub
28 risk
29 arrest
30 servant

함께 외우는 어휘 쌍

31 design – designer
32 general – generally
33 electricity – electric
34 law – lawyer

DAY 30 바로 테스트

p. 199

01 실망시키다
02 즉각적인, 즉석의
03 요구하다, 필요로 하다
04 성공
05 돌아다니다, 헤매다
06 세균
07 실망한
08 둘러싸다
09 감옥, 교도소
10 후회(하다)
11 세탁(물), 세탁소
12 성공하다
13 새벽; (하루나 한 시대가) 밝다
14 평화
15 대하다; 치료하다
16 mild
17 disappointing
18 successful
19 delight
20 treatment
21 shut
22 fable
23 select
24 spoil
25 victory
26 peaceful
27 citizen
28 doubt
29 punish
30 method

함께 외우는 어휘 쌍

31 peace – peaceful
32 treat – treatment
33 success – successful
34 disappointed – disappointing

DAY 26-30 Word Puzzle

p. 201

F	P	I	N	D	I	V	I	D	U	A	L	P
F	T	S	A	Q	C	N	T	E	L	Q	Q	E
C	C	O	H	U	I	V	N	H	B	H	L	A
R	E	X	S	E	R	W	E	O	M	B	M	T
E	L	C	I	T	L	Q	I	A	I	M	N	M
C	E	E	N	B	Q	U	C	S	V	A	C	O
O	S	N	U	A	T	M	N	S	X	J	U	B
M	T	X	P	H	R	O	A	Q	A	O	R	S
M	F	D	R	H	P	T	F	Z	U	R	I	E
E	D	I	S	S	F	D	N	B	H	C	O	R
N	R	L	E	P	P	T	R	E	E	Z	U	V
D	D	R	Y	O	Y	Y	L	P	P	U	S	E
I	E	S	U	F	E	R	S	M	V	H	H	V

ANSWERS

DAY 31 바로 테스트

p. 207

01 불행히도, 유감스럽게도
02 거래(하다), 무역(하다)
03 묻다, 매장하다
04 경기장, 코트; 법정, 법원
05 쫓아가다, 추구하다; 추적
06 목표(로 삼다), 표적(으로 삼다)
07 힘, 물리력; ~을 강요하다
08 점, 반점; 장소, 지점
09 끈, 줄, 악기 현; (끈으로) 묶다
10 움직임, 활동
11 배달, 전달
12 폭탄; 폭파하다, 폭격하다
13 소중한, 값비싼
14 연결하다, 관련되다; 연결, 관련(성)
15 태양의; 태양열을 이용한
16 hunger
17 obvious
18 sour
19 fortune
20 function
21 shame
22 active
23 crime
24 deliver
25 poison
26 value
27 dig
28 action
29 diligent
30 illegal

함께 외우는 어휘 쌍

31 activity – active
32 bury – dig
33 value – valuable
34 deliver – delivery

DAY 32 바로 테스트

p. 213

01 순수한, 깨끗한
02 명백한; 간소한; 평원
03 진흙
04 행동하다; 예의 바르게 행동하다
05 해외에(서), 해외로
06 출구; 나가다
07 과정, 절차; 가공하다, 처리하다
08 정의, 공정성
09 대중의, 공공의; 대중
10 참석하다; ~에 다니다; 주의를 기울이다
11 틈, 격차
12 거의 ~ 않다
13 알약
14 세금
15 기본의, 기초의
16 comment
17 behavior
18 base
19 sweat
20 universe
21 voyage
22 concern
23 private
24 sum
25 tube
26 extreme
27 fuel
28 attention
29 nest
30 persuade

함께 외우는 어휘 쌍

31 attend – attention
32 public – private
33 behave – behavior
34 base – basic

DAY 33 바로 테스트

p. 219

01 위층(으로[에서])
02 예의 없는, 무례한
03 축하 (인사)
04 옷감, 천
05 신비, 불가사의
06 회의, 모임
07 방식; (옷 등의) 스타일
08 흔들리다, 흔들다; 그네
09 열정
10 일, 업무; 사업
11 ~을 제외하고는, ~ 외에는
12 역사학자
13 실패하다; 불합격하다; 낙제
14 취소하다
15 장치, 기구
16 condition
17 producer
18 scientist
19 failure
20 reuse
21 congratulate
22 vet
23 ceiling
24 found
25 polite
26 mysterious
27 announcer
28 examination
29 message
30 drawer

함께 외우는 어휘 쌍

31 fail – failure
32 congratulate – congratulation
33 rude – polite
34 mystery – mysterious

DAY 34 바로 테스트

p. 225

01 서술하다, 묘사하다
02 참가하다, 참여하다
03 소모하다; 먹다, 마시다
04 분석하다
05 냉동고
06 이동(하다); 환승(하다)
07 구조(하다)
08 관련시키다, 결부시키다
09 모험적인, 모험심이 강한
10 흥분되는, 아주 신나는
11 정책, 방침
12 주제, 테마
13 세심한, 민감한
14 솔직히
15 순환(하다); 자전거(를 타다)
16 personality
17 migrate
18 option
19 vision
20 relationship
21 freeze
22 combination
23 description
24 appropriate
25 despite
26 adventure
27 infection
28 injury
29 gradually
30 furthermore

함께 외우는 어휘 쌍

31 relate – relationship
32 adventure – adventurous
33 freeze – freezer
34 describe – description

DAY 35 바로 테스트

p. 231

01 유명 인사
02 끼우다, 넣다, 삽입하다
03 가짜의; 위조품; 위조하다
04 무선의; 무선 (시스템)
05 부족, 종족
06 남은 (음식)
07 정직한, 솔직한
08 튀다; 튐, 튀어 오름
09 원래의, 원본의; 원본
10 증가[증식]하다, 증가[증식]시키다; 곱하다
11 포획; 포획하다, 포착하다
12 용감한; 굵은, 선명한
13 봉인하다; 도장, 직인; 바다표범
14 재미있는; 유머가 넘치는
15 면접(을 보다), 인터뷰(를 하다)
16 victim
17 brief
18 motivate
19 origin
20 tide
21 humor
22 donate
23 bare
24 logic
25 wire
26 honesty
27 storage
28 appetizer
29 poverty
30 launch

함께 외우는 어휘 쌍

31 origin – original
32 wire – wireless
33 honest – honesty
34 humor – humorous

DAY 31-35 Crossword Puzzle

p. 233

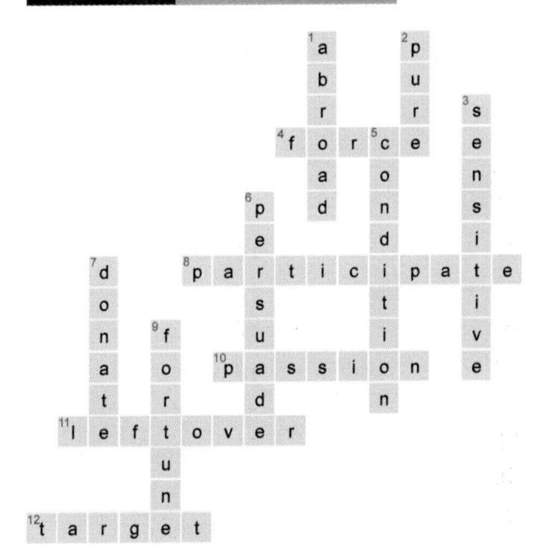

ANSWERS

DAY 36 바로 테스트 p. 239

01 눈을 깜박이다; 불빛이 깜박거리다
02 명령(하다)
03 주제, 화제
04 (턱)수염
05 서쪽에 있는, 서양의
06 표백하다, 바래지게 하다; 표백제
07 비극
08 생기, 활기; 만화 영화
09 곱슬곱슬하게 만들다, 동그랗게 감기다
10 속이다; (시험 등에서) 부정행위를 하다
11 아주 멋진, 화려한
12 그릇, 용기
13 (정기적으로 하는) 일
14 연결하다, 접속하다
15 낙천주의자, 낙관론자
16 amuse
17 contain
18 eastern
19 pilot
20 antibody
21 bacteria
22 loss
23 digest
24 bin
25 connection
26 invisible
27 according
28 curly
29 worm
30 blackout

함께 외우는 어휘 쌍

31 connect – connection
32 contain – container
33 curl – curly
34 eastern – western

DAY 37 바로 테스트 p. 245

01 발자국
02 뒤꿈치, (신발의) 굽
03 사과
04 복사(본), 복제(본); 복사하다, 복제하다
05 우울한, 암울한
06 전문가; 전문가의, 숙련된
07 액체(의)
08 예의, 예절
09 만족하는, 만족스러워하는
10 (서로) 다르다
11 전시(하다)
12 조언하다, 상담하다; 조언
13 지키다, 보호하다; 경비(요원)
14 낫다, 치유하다
15 기술자, 기사
16 hairy
17 empire
18 fountain
19 various
20 solid
21 apologize
22 graphic
23 variety
24 daytime
25 curvy
26 fabric
27 destiny
28 satisfy
29 gallery
30 cotton

함께 외우는 어휘 쌍

31 vary – various
32 satisfy – satisfied
33 apologize – apology
34 solid – liquid

DAY 38 바로 테스트 p. 251

01 속도
02 주요 지형지물, 랜드마크
03 방어, 수비
04 (실로 옷 등을) 짜다, 뜨다
05 유리한 점, 장점
06 혼자의, 단독의
07 좌우명, 모토
08 행진(하다)
09 뚜껑
10 정사각형(의); 광장
11 자석
12 (표면을 덮고 있는) 막, 층
13 편안; 위로(하다)
14 서술자, 내레이터
15 (개 등을 매어두는) 가죽끈; 가죽끈으로 매다
16 peel
17 defend
18 comfortable
19 jar
20 nap
21 octopus
22 pan
23 disadvantage
24 uncomfortable
25 mop
26 idiom
27 parrot
28 triangle
29 pedal
30 newborn

함께 외우는 어휘 쌍

31 defend – defense
32 comfort – comfortable
33 advantage – disadvantage
34 triangle – square

DAY 39 바로 테스트

p. 257

01 확대[증가]되다, 확대[증가]시키다
02 그늘; 가리다, 그늘지게 하다
03 영혼, 정신, 마음
04 열대 우림
05 연속, 시리즈
06 실내에서
07 별이 총총한, 반짝이는
08 스케치(하다)
09 교수
10 해초
11 강철
12 최고(의), 최대(의)
13 언쟁, 말다툼; 논거, 주장
14 눈보라
15 대본
16 rival
17 presentation
18 photographer
19 argue
20 minimum
21 stamp
22 sneeze
23 slim
24 pimple
25 physics
26 escalator
27 outdoors
28 soap
29 sled
30 purse

함께 외우는 어휘 쌍

31 argue – argument
32 indoors – outdoors
33 minimum – maximum
34 escalate – escalator

DAY 40 바로 테스트

p. 263

01 허리케인
02 젊음, 청년
03 스트레스(를 받다[주다])
04 유명한, 잘 알려진
05 예기치 않은, 뜻밖의
06 유행하는, 유행을 따른
07 줄무늬
08 믿기 어려울 정도인
09 지갑
10 평일
11 저녁 식사
12 수영복
13 휘파람(을 불다), 호루라기(를 불다)
14 길, 선로; 추적하다
15 곡(조); 맞추다, 조율하다
16 strap
17 volume
18 fashion
19 stove
20 waterproof
21 waterfall
22 tower
23 within
24 typhoon
25 tournament
26 thunder
27 stressful
28 uneasy
29 tag
30 trial and error

함께 외우는 어휘 쌍

31 fashion – fashionable
32 typhoon – hurricane
33 stress – stressful

DAY 36-40 Word Puzzle

p. 265

R	O	E	X	C	P	D	F	C	C	M	E	T
B	D	S	Z	O	I	H	B	X	Y	Z	X	S
L	C	S	M	G	V	E	L	E	S	P	P	E
A	X	Z	E	N	U	T	R	E	E	A	E	R
I	S	S	G	Q	L	V	O	G	I	R	R	O
M	T	N	A	T	F	V	O	P	S	A	T	F
I	U	N	E	X	P	E	C	T	E	D	F	N
D	E	P	R	E	S	S	E	D	M	E	I	I
C	V	S	M	Y	Y	L	D	M	T	U	Y	A
H	U	L	E	A	S	H	O	A	V	K	V	R
E	N	O	I	T	A	M	I	N	A	H	K	W
A	B	X	I	P	D	G	O	L	R	X	Q	G
T	C	O	P	Y	P	T	V	T	B	A	J	E

Like so many things,
it is not what's outside,
but what is inside that counts.
- *Aladdin*

다른 많은 것들처럼
바깥이 아니라,
내면에 있는 것이 중요하다.

INDEX

기억나지 않는 단어에 ☑표를 하고 복습에 활용해 보세요.

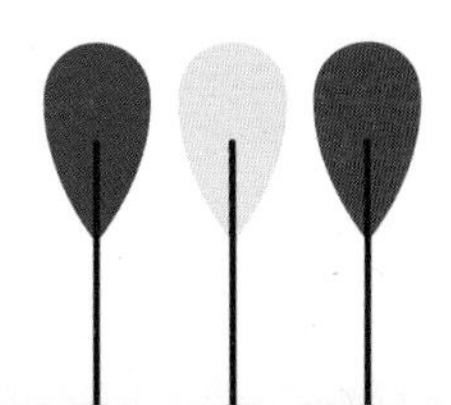

INDEX

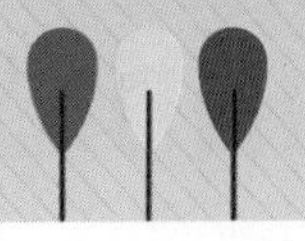

INDEX

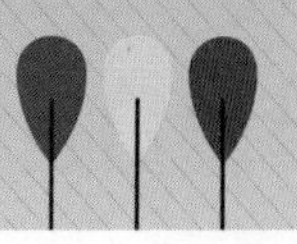

F

INDEX

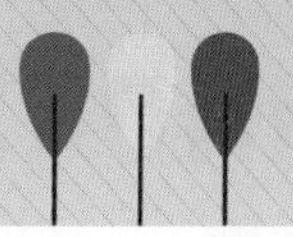

INDEX

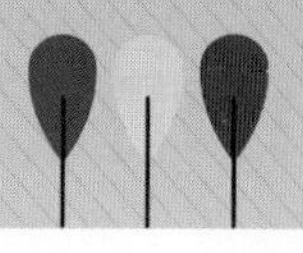

INDEX

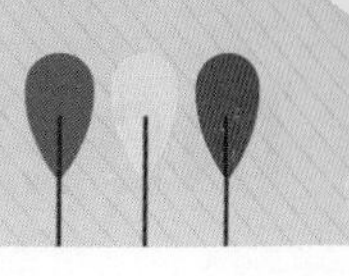

INDEX